# LA DÉRIVE DU
# SYSTÈME DE SANTÉ QUÉBÉCOIS

## Pour un modèle qui réunit l'Orient et l'Occident

Dr Martin Moisan

# LA DÉRIVE DU
# SYSTÈME DE SANTÉ QUÉBÉCOIS

Pour un modèle qui réunit l'Orient et l'Occident

Éditions Dakyil

Éditeur et distributeur : Éditions Dakyil
Téléphone : 438-494-1014
Télécopieur : 514-538-6609
info@editionsdakyil.com

ISBN : 978-2-9813012-8-4

Dépôt légal : 4e trimestre 2013
Bibliothèque et Archives nationales du Québec
Bibliothèque et Archives Canada

L'éditeur a mis tout en œuvre pour obtenir des auteurs et des maisons d'édition l'autorisation de publier les textes qui apparaissent dans cet ouvrage. Les auteurs ou les maisons d'édition qui n'auraient pas été rejoints sont priés de communiquer avec l'éditeur.

Le générique masculin est généralement utilisé sans aucune discrimination et dans le seul but d'alléger le texte.

L'auteur et l'éditeur ne peuvent être tenus responsables d'aucune manière que ce soit de tout usage personnel des informations contenues dans ce livre.

Imprimé au Canada

# REMERCIEMENTS

Aux gens, aux patients, à mes ami(e)s et à ma famille, qui m'ont enseigné l'art de la médecine

À Suzanne pour ses bons conseils et sa précieuse collaboration

À Caro

# Table des matières

# Liste des schémas

# Avant-propos

Ce qui est écrit dans ce livre est bien relatif, car si l'on compare le système de santé au Québec à celui d'autres pays, comme ceux d'Afrique, nous avons certes un excellent système de santé qui contribue à faire en sorte que l'espérance de vie se retrouve parmi les plus élevées de la planète. Cependant, si la référence se veut plutôt le plein potentiel de l'être humain, tant aux niveaux individuel que collectif, la situation devient alors bien différente, et même alarmante, car beaucoup de lacunes ne font actuellement que perpétuer une inefficacité à établir des soins optimaux.

Les observations recueillies dans ce livre proviennent d'un cheminement personnel et professionnel de l'auteur, qui a pratiqué la médecine générale pendant plus de 15 ans au Québec, et ce en milieu hospitalier et en cabinet privé. Il consacre son premier chapitre à l'état actuel du système de santé québécois. Les symptômes qui sont identifiés dressent le portrait d'une dérive qui se manifeste entre autres par un long temps d'attente dans les urgences, l'épuisement du personnel médical et un gouffre financier.

Le deuxième chapitre traite des malaises et problèmes de la médecine moderne. L'auteur ne cherche pas ici à la dénigrer, mais plutôt à exposer de façon objective les difficultés que présente la science médicale à s'insérer dans un mouvement qui englobe l'être humain dans son ensemble.

Dans un autre chapitre, il est aussi question de la surconsommation de médicaments, plus particulièrement des antidépresseurs et des anxiolytiques. L'auteur aborde ensuite des pistes de solutions et des actions concrètes aux problèmes actuels du système de santé québécois, et ce autant individuellement que collectivement.

Certaines constatations de ce livre ne relèvent pas des connaissances de la médecine moderne, mais plutôt d'une observation des différentes composantes de l'être humain, dont l'auteur a été témoin dans ses propres recherches intérieures, ainsi que chez certains patients ou des gens de son entourage. Ces constatations ont été établies non pas à partir d'un raisonnement cérébral (rationnel), mais plutôt à partir de perceptions ou d'un ressenti objectif. Il est donc possible que les scientifiques aient de la difficulté à admettre certains passages de ce livre, car leurs observations ne sont habituellement basées que sur des effets visibles.

Un des principes véhiculés dans cet ouvrage est que dans le corps physique habitent non seulement des cellules et des organes, mais aussi une conscience[1]. Cette notion n'est pas

---

1 Le mot *conscience* fait référence ici à ce qui est couramment appelé *esprit* ou *âme*. L'auteur part donc du principe que dans le corps physique se trouve également l'esprit ou l'âme de chacun.

enseignée dans les cours de médecine, mais c'est à travers son propre cheminement que l'auteur a découvert que l'être humain est bien plus qu'un corps physique et qu'il possède aussi d'autres composantes (émotive, psychologique, énergétique et spirituelle).

Cet ouvrage tente également d'apporter des éléments pour que soit diminué le clivage qui existe actuellement entre les différentes approches thérapeutiques, plus particulièrement entre la médecine moderne et l'acupuncture, et que s'établissent vraiment des ponts entre ces deux approches afin que des soins optimaux soient offerts à la population. Pour cela, il est cependant nécessaire de mieux cerner là où se trouvent certains problèmes que vit actuellement le réseau de la santé au Québec. C'est d'ailleurs ce que l'auteur tente d'identifier pour qu'il en découle une meilleure compréhension objective et que des solutions plus ciblées soient mises de l'avant.

# Mot de l'auteur

La souffrance est habituellement vue comme étant d'ordre physique ou psychologique pour un individu. Elle peut cependant être d'un autre ordre, c'est-à-dire s'appliquer à l'ensemble d'une collectivité.

Dans ce sens, le système de santé québécois vit actuellement une profonde souffrance. Loin de renier les bénéfices qu'apporte la médecine moderne à la collectivité, je ne peux, après plusieurs années d'exercice dans le réseau de la santé au Québec, rester muet face à tant de désordre. Le risque que je prends est quand même grand, car lorsque l'on dénonce ou que l'on ose dire les choses telles qu'elles sont, elles peuvent déranger, voire bousculer des valeurs et des structures bien établies.

J'ai donc pris la décision d'écrire ce livre, même s'il est évident que le corps médical n'aimera pas qu'un des siens exprime de façon objective les déviances et souffrances du système actuel. Mais il en va de mon intégrité et de ma propre santé d'aller de l'avant, car je sais trop maintenant que lorsque sa propre conscience désire suivre un chemin et que l'on s'y oppose, c'est l'ensemble de son être qui se voit alors atteint d'un déséquilibre, qu'il soit physique, émotif, psychologique, énergétique ou même spirituel.

Alors pour moi-même, j'ai décidé de mettre ce livre au grand jour. J'en suis en quelque sorte très soulagé, car il s'agit, en fait, d'une grande libération après tant d'années d'introspection. J'espère seulement que les mots de ce volume apporteront, un tant soit peu, des explications sur la déroute actuelle du système de santé québécois et qu'ils permettront ainsi de mettre en place de réelles solutions pour que des soins optimaux soient offerts à la population.

# Introduction

Au début de la vingtaine, je me suis mis à la recherche d'un emploi comme préposé aux bénéficiaires dans un hôpital. Mon désir était de savoir si j'aimais suffisamment ce milieu pour éventuellement poser ma candidature dans une faculté de médecine au Québec.

C'est à l'Hôtel-Dieu de Montréal que je fus engagé. Mes tâches consistaient surtout à prendre soin des patients et à les aider dans leur hygiène de base (manger, se laver, bien se positionner sur le lit, etc.). Il m'arrivait également d'aller les conduire à leurs examens radiologiques, soit en fauteuil roulant ou en civière.

Après quelques mois, un évènement me propulsa dans une action que je n'avais exécutée qu'une fois ou deux. Cela faisait aussi partie de mes responsabilités. Une infirmière sortit brusquement d'une chambre et exprima d'une manière vive :
« Code rouge! Vite!! »

Une urgence s'y déroulait et il fallait mettre en place rapidement le personnel et l'appareillage pour une réanimation cardiaque. On demanda alors que j'installe mes mains sur le sternum d'une patiente d'environ 80 ans, et ce dans le but d'effectuer le massage de son cœur. Elle était amaigrie et ne respirait plus.

Le personnel infirmier s'activa promptement à insérer un cathéter dans une veine. Puis, à tour de rôle, arrivèrent sur place une inhalothérapeute et un médecin. Pendant ce court laps de temps, deux membres de la famille ayant vu leur mère perdre connaissance se retirèrent dans le couloir sur l'insistance de l'infirmière-chef. À ce moment, un désaccord se fit entendre. Une femme d'une cinquantaine d'années éclata en sanglots et cria :
« Mais laissez-la mourir! Laissez-la mourir!! »

Un malaise évident enveloppa tout le personnel, le médecin inclus. Ce dernier prit rapidement le dossier et demanda des informations sur les antécédents médicaux de la patiente. Il apprit qu'il ne restait à cette dernière qu'un seul poumon étant donné une opération pour un cancer. Elle venait d'être admise à l'hôpital pour un épisode de faiblesse.

Le médecin décida alors de continuer la réanimation. La patiente fut intubée et ventilée, puis une infirmière injecta des médicaments intraveineux. Plusieurs minutes s'écoulèrent et le tracé du moniteur cardiaque demeura plat. Après un certain temps, le décès fut constaté. On avisa les membres de la famille. Tout le personnel soignant, moi inclus, retourna ensuite à ses tâches respectives.

Plusieurs jours après cet évènement, un épais nuage d'incompréhension se promenait encore dans ma tête. Pourquoi ce refus de la mort? Comment pouvait-on mécaniser un moment aussi important?

Tout restait flou et sans réponse évidente. Ce n'est que beaucoup plus tard, après plusieurs années de cheminement intérieur et de pratique médicale dans le milieu hospitalier, qu'une clarté se dégagea de cette zone trouble. Mais avant qu'il en soit ainsi, que de conflits intérieurs vécus dans ce rôle où des exigences professionnelles proviennent d'une structure humaine qui désacralise et rejette la mort.

Ce cri de la femme raconté plus tôt, c'était le cri d'un profond malaise qui visait beaucoup plus que le système médical en place. Il s'adressait à une société qui comprend peu le mystère de la mort et qui ne sait pas vraiment comment s'y préparer. C'était un cri disant qu'une collectivité souffre et se trouve sous l'influence d'un poids obscur : celui de l'ignorance que l'être humain est d'abord et avant tout une conscience.

# CHAPITRE I

## LE SYSTÈME DE SANTÉ QUÉBÉCOIS

# 1.1 : LE MODÈLE ACTUEL DU SYSTÈME DE SANTÉ AU QUÉBEC

La médecine moderne est actuellement le pivot central du système de santé québécois. Elle constitue l'approche autour de laquelle s'est édifié le réseau de soins. D'autres approches, telles l'acupuncture, l'ostéopathie, la chiropractie, la physiothérapie, la massothérapie et la psychologie se retrouvent ainsi en périphérie. Cela est illustré au schéma 1.1.

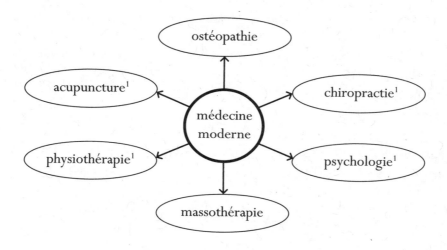

**Schéma 1.1 :** Le modèle actuel du système de santé au Québec

Au centre du système de santé québécois se retrouve donc une approche rationnelle qui fonctionne selon un mode de pensée logique. En d'autres termes, le réseau actuel de la santé est construit à partir d'un modèle ayant en son centre les connaissances de la médecine moderne.

---

1 L'acupuncture, la chiropractie, la physiothérapie et la psychologie sont maintenant reconnues par l'Ordre des professions.

# 1.2 : LES SYMPTÔMES D'UNE DÉRIVE

*« Le diagnostic que l'on peut faire sur le système de santé du Québec est un diagnostic inquiétant. Je ne vois pas à l'heure actuelle dans le système beaucoup d'éléments qui me rassurent sur le fait que l'on va finir par corriger la question des urgences, que l'on va finir par arriver à prendre en charge la dépendance d'une façon adéquate. On a l'impression que ce n'est pas ça qui est en train de se passer, au contraire. »*

André-Pierre Contandriopoulos
Professeur titulaire au Département d'administration de la santé
Université de Montréal
Émission de télévision *Une heure sur terre*, Radio-Canada, 5 octobre 2012

Actuellement, le système de santé québécois manifeste des symptômes inquiétants qui ne semblent pas sur le point de se régler et qui risquent même de s'aggraver. Dans cette section, il est abordé ce qui suit[1] :

— Les urgences débordent
— La quantité avant la qualité
— Un personnel essoufflé
— L'avènement des cliniques privées de médecine générale
— Un gouffre financier
— La dette publique
— La dérive idéologique.

## 1.2.1 : LES URGENCES DÉBORDENT

Il est bien connu au Québec que la situation dans les urgences a atteint au cours des dernières années un niveau critique. Le temps d'attente pour consulter un médecin est en général de plusieurs heures, allant même parfois à plus de 20 heures selon des témoignages reçus de la part de patients. Le 31 décembre 2012, le *Journal de Montréal* titrait à la une : « Dur temps des Fêtes aux urgences, jusqu'à 48 heures d'attente ».

Les raisons en sont multiples, mais la principale semble être le manque d'accès à un médecin de famille. Au Québec, deux millions de personnes[2] n'auraient pas de médecin de famille, ce qui représenterait environ 25 % de la population. Et même pour ceux et celles qui en ont un, il est en général très difficile d'obtenir un rendez-vous rapidement, ce qui contribue à encombrer les urgences.

---

1  À noter que la surconsommation de médicaments fait aussi partie, selon l'auteur, des symptômes de la dérive actuelle du système de santé québécois. Ce sujet est cependant présenté au chapitre III.

2  Selon l'article *Pénurie de médecins omnipraticiens sans précédent*, qui cite les propos du Dr Louis Godin, président de la Fédération des médecins omnipraticiens du Québec (FMOQ), 14 février 2013.

Pourquoi ce manque de médecins de famille alors que le Québec en compte 120 par 100 000 habitants[1-2]? Ici encore, plusieurs raisons pourraient être pointées du doigt, mais la principale semble être le fait que les médecins généralistes passent en moyenne 40 %[2] de leur temps à des activités hospitalières (urgence, obstétrique, soins de longue durée…), ce qui fait en sorte qu'ils consacrent moins de temps à des activités médicales en cabinet.

Il manquerait plus de 1100 médecins généralistes au Québec[3] pour combler la pénurie d'effectifs et permettre ainsi à chaque citoyen un meilleur accès aux soins de santé.

## 1.2.2 : LA QUANTITÉ AVANT LA QUALITÉ

De par le contexte actuel, le médecin dans sa pratique est surtout dans le mode *faire*, c'est-à-dire qu'il doit exécuter beaucoup de choses dans un temps très limité. À l'urgence et dans les cliniques dites *sans rendez-vous*, et même dans certaines cliniques privées, le médecin généraliste n'a habituellement que 15 minutes pour une consultation avec un patient. Dans ces 15 minutes, il doit exécuter les tâches suivantes :

— faire l'entrevue avec le patient
— faire un examen physique
— poser un diagnostic
— établir un plan de traitement :
  • prescrire un ou plusieurs médicaments
  • rédiger les requêtes de laboratoire ou d'imagerie médicale, lorsque nécessaire
  • remplir au besoin un document de consultation pour un spécialiste, un physiothérapeute, un psychologue…
  • remplir un document d'absence au travail, lorsque nécessaire
  • donner les conseils d'usage au patient
— rédiger une note médicale.

Dans ce contexte, le médecin n'a en fait que peu de temps pour vraiment écouter le patient et approfondir la raison de la consultation. Son temps limité l'oblige bien souvent à être directif dans l'entrevue, ce qui laisse moins d'espace au dialogue. Au bout de sa journée de travail, le médecin aura généralement vu environ 25 patients, parfois plus, sans oublier de vérifier les résultats des tests de laboratoire ou d'imagerie, et de rappeler certains patients pour s'assurer d'un bon suivi.

---

1   À titre comparatif, le nombre de médecins de famille est de 100 par 100 000 habitants au Canada.
2   Selon l'émission de télévision *Une heure sur terre*, Radio-Canada, 5 octobre 2012.
3   Selon l'article *Pénurie de médecins omnipraticiens sans précédent*, qui cite les propos du Dr Louis Godin, président de la Fédération des médecins omnipraticiens du Québec (FMOQ), 14 février 2013.

Mais comment, dans un tel contexte, peut-on arriver à une médecine qualitative, alors que le principal acteur est constamment occupé à faire des choses qui tendent à le couper de ses propres émotions et de sa propre sensibilité?

La déshumanisation de la médecine moderne, elle est entre autres là. Le médecin étouffe dans le cadre actuel, car il manque de temps pour vraiment écouter son patient et accomplir les tâches qui lui sont demandées. Il se retrouve coincé dans une sorte d'usine à production ce qui, au fil des années de pratique, peut lui faire perdre espoir de réellement pratiquer la médecine qu'il avait imaginée alors qu'il était étudiant.

Ainsi, bien des médecins, malgré leur bon vouloir, se trouvent actuellement désabusés du système et ont perdu la flamme pour exercer une médecine de qualité qui vise d'abord à rendre service. Ils parviennent, tant bien que mal, à accomplir leur boulot, mais dans un état qui ne favorise pas leur propre épanouissement, et encore moins l'épanouissement de leurs patients. Comment peut-on prétendre que notre système de santé est réellement en santé, alors que le pivot central de ce système n'arrive pas à créer un contexte où il est dans un état de bien-être?

Actuellement, les besoins sont tellement grands qu'il est difficile pour les médecins de créer un mouvement de groupe qui permettrait de rehausser la qualité humaine des actes médicaux. Chacun y va donc plutôt pour soi-même, en tentant de survivre psychologiquement dans ce milieu.

Certains diront que, considérant le salaire qu'ils gagnent, il est normal que les médecins aient beaucoup de tâches à accomplir et qu'ils voient un nombre élevé de patients durant leur quart de travail. Là n'est pas la question. Ne cherche-t-on pas à créer un milieu propice qui permet à tous, autant aux médecins qu'aux patients, d'évoluer intérieurement à travers les différents maux physiques ou psychologiques? Ne vise-t-on pas à devenir des êtres qui se rapprochent de plus en plus de leur propre potentiel créateur? Pourquoi alors avoir mis en place un modèle de santé où le principal acteur porte si peu l'emblème d'une santé rayonnante? Pourquoi les médecins sont-ils, en fait, généralement plus proches de la maladie que d'une réelle santé intérieure?

Un élément de réponse est sûrement le fait que le système de santé actuel se trouve coupé d'une énergie positive qui permettrait à chacun de se développer intérieurement. En d'autres termes, le système de santé québécois semble être actuellement coupé d'une dimension évolutive sur le plan humain, ce qui ne ferait qu'entraîner, autant pour le personnel qui y travaille que pour les patients, une certaine souffrance qui empêcherait la concrétisation d'un milieu épanouissant.

*« Les infirmières sont plus stressées que les autres travailleurs canadiens. 31 % ont déclaré vivre un degré élevé de tensions et de contraintes au travail, comparativement à 26 % pour l'ensemble des travailleuses.*

*Le personnel infirmier était plus susceptible d'avoir été en dépression l'année précédente. C'était le cas d'environ 9 % tant des infirmières que des infirmiers comparativement à 7 % des femmes et à 4 % des hommes dans toute la population occupée.*

*Près de la moitié du personnel infirmier (46 %) ont indiqué que leur employeur s'attendait à ce qu'ils fassent des heures supplémentaires. »*

Enquête sur le travail et la santé mentale et physique des infirmières (Canada)
Institut canadien d'information sur la santé, Statistique Canada
12 décembre 2006

D'autres études ont aussi montré des taux élevés d'épuisement professionnel, de dépression et de suicide chez les médecins. En octobre 2012, au cours de la Conférence internationale sur la santé des médecins qui se tenait à Montréal, Dr Jeremy Lazarus, psychiatre américain, disait ceci[1] :

*« Les taux de suicide atteignent 40 % de plus chez les médecins hommes et 130 % de plus chez les médecins femmes que dans la population générale, et ce, pour les mêmes tranches d'âge. Les médecins sont littéralement malades de leur travail et c'est la même chose aux quatre coins de la planète. »*

Pourquoi le personnel médical se retrouve-t-il dans un tel état? Pourquoi des infirmières et médecins n'ont-ils que des traits sérieux sur leur visage? C'est entre autres parce qu'actuellement, le système de santé traîne des lourdeurs qui vont au-delà des souffrances physiques et psychologiques des patients, et qui se veut en fait la souffrance elle-même de l'ensemble du réseau. Ainsi, ceux et celles qui y travaillent n'ont guère intérêt à y passer trop de temps, car ils y laissent une partie de leur propre énergie vitale.

Une structure ayant accumulé trop de lourdeurs a de grandes difficultés à se raccorder à une énergie positive qui favorise le développement personnel. Elle devient alors un milieu propice au stress et à l'épuisement pour les principaux acteurs, ce qui semble être actuellement le cas pour le système de santé québécois.

---

1 Selon la revue *L'Actualité médicale*, 19 décembre 2012.

## 1.2.4 : L'AVÈNEMENT DES CLINIQUES PRIVÉES DE MÉDECINE GÉNÉRALE

La première clinique privée de médecine générale au Québec a vu le jour en 2002. Depuis ce temps, environ une trentaine de cliniques de ce type se sont ajoutées sur tout le territoire du Québec. Mais pourquoi ce phénomène a-t-il eu lieu? Et pourquoi le gouvernement québécois n'a-t-il pas cherché à freiner cet élan?

Ce phénomène a d'abord eu lieu parce que le réseau public de la santé n'arrivait plus à répondre de façon adéquate à des besoins semi-urgents de la population. Prenez le cas d'un patient qui présente une sinusite, dont le médecin de famille n'est pas disponible, et qui ne veut pas attendre des heures interminables à l'urgence. Il est maintenant possible de se tourner vers le réseau privé, qui lui permet habituellement d'avoir un rendez-vous en moins de 24 heures, à la condition bien sûr de payer les frais de la consultation, qui varient généralement de 95 $ à plus de 150 $. À ce montant s'ajoutent parfois des frais d'adhésion.

Les cliniques privées de médecine générale ont donc vu le jour étant donné l'insatisfaction de la population vis-à-vis du système public. Il s'agirait en fait d'une forme de réponse collective à l'incapacité d'un gouvernement à mettre en place un système de santé qui allie efficacité et humanisation.

Les cliniques privées de médecine générale ont également réussi à attirer du personnel médical étant donné les meilleures conditions de travail offertes, tant au niveau du milieu et des horaires que sur le plan salarial. Le choix pour ces travailleurs a donc été fait, pour la plupart, sur la base d'une insatisfaction à pratiquer dans les conditions du système public, afin de favoriser un meilleur équilibre au niveau de leur santé.

Certains diront que l'exil du personnel médical vers les cliniques privées de médecine générale diminue les ressources pour offrir des soins dans le système public, n'aidant aucunement à corriger la pénurie d'effectifs actuelle. Oui, en surface peut-être, mais le réseau privé contribue également à désengorger les urgences, de par le nombre de patients qui s'y dirigent. Il faut aussi souligner que cet exil n'aurait probablement pas eu lieu si le système public offrait un meilleur cadre de travail. Alors à qui la faute, si ce n'est au gouvernement qui n'a pas su mettre en place un milieu où les risques d'épuisement sont moindres pour les travailleurs?

De plus, comme il s'agit de cliniques privées de médecine générale, elles ne sont plus affiliées, par définition, à la Régie de l'assurance maladie du Québec (RAMQ). Les gens qui décident de consulter dans ces cliniques doivent ainsi payer la totalité des frais de consultation. L'économie qui en résulte pour le gouvernement québécois est difficile à chiffrer de façon précise, mais elle semble être considérable. Entre autres, les médecins et infirmières qui travaillent dans ces cliniques privées ne sont plus payés par l'État, mais bien directement par les patients qui les consultent.

Il n'est donc pas surprenant que le gouvernement du Québec n'ait pas cherché à freiner ce mouvement. Plus le régime de santé se privatise, plus cela permet à l'État de faire des économies. Le plus grand perdant est bien sûr le contribuable, qui voit à nouveau sa charge financière augmenter s'il décide de consulter dans une clinique privée de médecine générale, sans pour autant que ses taxes ou impôts ne soient abaissés.

## 1.2.5 : UN GOUFFRE FINANCIER

Dans son livre *Santé : l'heure des choix*[1], Claude Castonguay, celui qu'on désigne comme le père de l'assurance maladie au Québec, expose son point de vue sur la gestion des finances du ministère de la Santé. Voici le portrait qu'il en dresse :

« *Depuis une dizaine d'années, les dépenses publiques en santé augmentent de 6 à 7 % par année. Par contre, la croissance des revenus du gouvernement n'a été que de 4 % en moyenne. Les dépenses ont ainsi excédé les revenus de 2 à 3 % par année. Leur effet cumulatif est donc considérable. Ainsi, alors qu'au début des années 1980 les dépenses en santé représentaient 30 % des dépenses de programmes gouvernementaux, elles atteignent maintenant 47,5 %, bientôt la moitié du total! Cela sans compter les importants déficits, autorisés ou non, dans plusieurs grands hôpitaux.*

*… si la tendance se maintient, l'écart entre les revenus du gouvernement et les dépenses publiques en santé va prendre de plus en plus d'importance. Nous faisons face à un véritable gouffre.*

*Pour l'année en cours, soit 2012-2013, le budget de la santé et des services sociaux s'élève à 31,1 milliards, comparativement à 17,8 milliards en 2002-2003… Il s'agit d'une augmentation de 75 % en dix ans. Malgré cette injection massive de capitaux, notre système de santé n'a marqué aucun progrès significatif. En fait, l'addition répétée de fonds a plutôt permis de prendre le chemin de la facilité et de reporter à plus tard les changements nécessaires…*

*Notre système de santé fonctionne à l'encontre des principes d'une saine gouvernance. Force est de constater que, malgré les sommes consenties et leur augmentation rapide, sa performance ne progresse pas… Il est inacceptable que le ministère le plus important, qui accapare la moitié des dépenses, soit ainsi géré. Année après année, des centaines de millions de dollars, éventuellement des milliards, pourraient être économisés et utilisés pour répondre à une foule de besoins pressants.* »

Il y a là un constat sévère provenant d'un homme de grande expérience. Le gouvernement y fera-t-il la sourde oreille?

---

1  © Les Éditions du Boréal 2012.

## 1.2.6 : LA DETTE PUBLIQUE

La dette brute du Québec devrait atteindre 200 milliards de $ en mars 2013[1], ce qui représente environ 25 000 $ par individu.

Le remboursement de cette dette s'élèvera à 8,6 milliards de $ en 2013-2014, ce qui équivaut à 12 % des dépenses du gouvernement[2].

Sans cette dette publique, le gouvernement du Québec aurait pu investir au cours des dernières années des sommes considérables pour améliorer l'accès aux soins de première ligne. Il s'agit donc d'un élément important à considérer pour expliquer la difficulté à résoudre les problèmes actuels et le sous-financement non pas seulement de certains secteurs du réseau de la santé, mais aussi des autres ministères (éducation, culture, immigration...).

Autrement dit, si le gouvernement du Québec avait fait preuve d'une meilleure gestion de ses finances au cours des 40 dernières années, la situation du système de santé ne serait probablement pas aussi problématique.


## 1.2.7 : LA DÉRIVE IDÉOLOGIQUE

Claude Castonguay, dans son livre *Santé : l'heure des choix*, mentionne ce qui suit :

« *En tant que ministre de la Santé, j'ai voulu établir l'assurance maladie sur des fondements solides dès le départ, en créant un régime public couvrant les soins médicaux pour l'ensemble de la population, sans égard aux revenus. Ce faisant, je venais en quelque sorte de consacrer les principes de solidarité, d'universalité et d'équité qui, avec le passage du temps, prendraient le statut de valeurs et deviendraient intouchables.*

*Pour moi, ce régime constitue l'expression de la solidarité qui doit unir tous les citoyens afin de répondre collectivement à l'un des besoins fondamentaux... Aujourd'hui, personne n'oserait porter atteinte au système de santé public. Mais nous vivons dans une ère d'individualisme et d'égoïsme, des attitudes diamétralement opposées aux principes qui sont à la base du régime...*

*... avec le temps, les structures administratives, qui constituaient un moyen et non une fin, ont pris de plus en plus d'importance. Au point de faire bien souvent oublier l'objectif du système.*

---

1 Selon l'article *Un budget prudent dans un contexte économique mondial très agité* de Marie-Christine Bernard et de Kristelle Audet, publié le 21 novembre 2012 sur le Web à l'adresse suivante : www.conferenceboard.ca.

2 Selon l'article *Un budget plombé par la dette* de Régys Caron, publié le 7 décembre 2012 dans le *Journal de Montréal*.

*Les intervenants y ont finalement trouvé leur place et s'y sont intégrés à l'aide des nombreuses ententes qui ont été conclues. Aujourd'hui, l'organisation et le fonctionnement de notre système de santé sont conditionnés par ces ententes. Les syndicats de professionnels (médecins, infirmières, pharmaciens, etc.), les dirigeants des établissements, les syndicats d'employés, les associations représentant les établissements ont tous défendu avec vigueur leurs intérêts. Or, la somme de tous ces intérêts, souvent conflictuels, est loin de toujours concorder avec l'intérêt public.*

*... la conclusion demeure que, dans notre système de santé, le patient n'est pas toujours la première préoccupation des intervenants. »*

Il y aurait donc en ce moment trop d'acteurs dans le système de santé qui ne cherchent que leur propre profit pour que les valeurs de base établies en 1970, lors de l'instauration de l'assurance maladie, n'en soient que l'unique priorité.

En d'autres termes, trop d'individus ou de groupes auraient oublié qu'un des objectifs fondamentaux du système de santé est d'être là non pas pour ses propres besoins, mais pour les besoins d'une population à desservir en matière de soins. Les valeurs d'universalité et d'équité ont donc perdu des plumes au fil des années, ce qui se traduirait par une dérive du système de santé québécois sur le plan idéologique.

Il va de soi que lorsque l'idéologie d'un système est bafouée, la qualité des soins et l'humanisation qui s'en dégage s'en trouvent également affectés.

# CHAPITRE II

## LA MÉDECINE MODERNE

La médecine moderne joue un rôle très important dans la société et elle est même essentielle pour son bien-être. Grâce à elle, l'espérance de vie a connu une augmentation considérable dans les pays industrialisés au cours des 60 dernières années. Son apport dans les situations d'urgence est plus que remarquable.

L'auteur connaît bien les nombreux avantages qu'elle peut apporter à l'être humain pour avoir été témoin de ces bienfaits pendant plusieurs années. Cependant, si l'expérience d'une pratique médicale a pu montrer les qualités et le savoir-faire de la médecine moderne, elle a mis également en évidence ses faiblesses et ses limites d'intervention.

# 2.1 : LA SPÉCIFICITÉ DE LA MÉDECINE MODERNE

La médecine moderne est d'abord une médecine de survie. Elle répare des fractures, calme des douleurs intenses et parvient à traiter des infections qui peuvent causer la mort. C'est une approche marquée d'une grande expertise lorsque le corps physique vit un important stress. À ce moment, si aucune intervention n'est apportée par les traitements connus en médecine moderne, l'individu risque d'en mourir à court ou à moyen terme.

La notion de survie est importante, car elle décrit la spécificité de la médecine moderne et le rôle essentiel qu'elle doit jouer dans un réseau de santé qui vise des soins optimaux.

Selon l'auteur, cette spécificité se résume à la phase de survie aiguë que peut manifester le corps physique et le psychisme, ainsi que la phase de survie non aiguë, c'est-à-dire :

1) Phase de survie aiguë :

→ Lorsque le corps physique est en danger de mort (crise cardiaque, pneumonie, cancer...)
→ Lorsqu'une douleur devient intolérable (entorse lombaire, calcul urinaire...)
→ Lorsqu'un individu a des idées suicidaires ou homicidaires
→ Lorsqu'un individu présente une anxiété excessive (trouble panique ou insomnie sévère).

2) Phase de survie non aiguë :

Lorsqu'un individu présente une pathologie qui demande à se stabiliser pour tenter de prévenir une phase de survie aiguë au niveau du corps physique. En voici deux exemples :

→ Le diabète insulinodépendant
→ L'hypertension artérielle.

Un patient diabétique insulinodépendant, dont la maladie est bien contrôlée par la médication, se trouve ainsi en phase de survie non aiguë. Il a besoin de l'insuline pour ne pas être en danger de mort et pour ne pas tomber dans une phase de survie aiguë.

La même réflexion vaut pour les médicaments prescrits dans l'hypertension artérielle, alors que le corps physique n'est habituellement pas dans une phase de survie aiguë, mais plutôt en phase de survie non aiguë, étant donné qu'il n'y a généralement pas de danger de mort apparent. Le traitement pharmacologique est alors donné à titre préventif pour diminuer l'incidence de pathologies mortelles comme les crises cardiaques et les accidents vasculaires cérébraux (AVC). Même si ces médicaments sont utilisés dans un contexte où le corps n'est pas en phase de survie aiguë, ils se veulent un prolongement de ceux prescrits lorsque le corps physique est en danger de mort.

Pour mieux comprendre cela, on peut se poser la question suivante : qu'arrivera-t-il si le patient arrête de prendre sa médication? S'il s'expose à un risque accru de développer une pathologie mortelle à court ou moyen terme et qu'il se rapproche d'une phase de survie aiguë, cette intervention thérapeutique entre dans la spécificité de la médecine moderne.

Au niveau psychologique, l'auteur aurait pu considérer dans la phase de survie non aiguë les symptômes dépressifs sans idées suicidaires ou homicidaires, tel que c'est actuellement le cas en médecine moderne, mais pour des raisons qui sont davantage expliquées au chapitre III, il semble préférable qu'il n'en soit pas ainsi et que d'autres modalités thérapeutiques que l'approche médicamenteuse interviennent dans cette situation. Par conséquent, selon l'auteur, les symptômes dépressifs sans idées suicidaires ou homicidaires ne s'inscrivent pas dans la spécificité de la médecine moderne.

Cette notion de spécificité de la médecine moderne est très importante, car l'auteur y fait référence à plusieurs reprises dans les sections et chapitres ultérieurs. Elle détermine le champ d'action qui est propre à la médecine moderne et dont la société a grandement besoin pour offrir des soins optimaux.

Cependant, dès que les gestes et les actions posés par la médecine moderne sortent de sa spécificité, c'est là, selon l'auteur, qu'il existe actuellement une forme de déviance dans l'application d'une approche seulement rationnelle, qui tente alors de traiter des symptômes en ne tenant pas compte de la globalité de l'individu, c'est-à-dire des différentes composantes de l'être humain (physique, émotive, psychologique, énergétique et spirituelle). Ceci semble notamment être le cas dans le traitement de la dépression, tel que discuté au chapitre III.

Plus l'ensemble de la collectivité connaîtra la spécificité de la médecine moderne, plus la population et les intervenants du réseau de la santé seront aptes à bien déterminer ce qui lui est propre, permettant ainsi à d'autres approches comme l'acupuncture de prendre éventuellement davantage de place dans le traitement des différentes pathologies.

## 2.2 : LA LIGNE ENTRE LA SURVIE ET LA NON-SURVIE

Quel est le critère qui me dit, en tant que médecin ou en tant que patient, que je suis dans une zone où la médecine moderne est dans ses propres limitations? Qu'est-ce qui peut me dire s'il est préférable ou non de me tourner vers les traitements de la médecine moderne ou vers d'autres approches, telles l'acupuncture ou l'ostéopathie? La réponse à ces questions semble se trouver dans la notion de survie.

La spécificité de la médecine moderne est d'axer ses interventions sur l'atténuation des symptômes physiques ou psychologiques par des médicaments, alors que l'individu se trouve en phase de survie (aiguë ou non aiguë). Mais dès que le corps physique ou le psychisme ne sont plus dans cette dernière phase, c'est là, selon l'auteur, que les traitements offerts par la médecine moderne semblent avoir leurs limitations.

Autrement dit, dès que la médecine moderne sort de sa spécificité et qu'elle tente de traiter une condition où l'individu n'est plus en phase de survie (aiguë ou non aiguë), c'est là que l'on peut se questionner sur la pertinence de la médication prescrite, et c'est là que les symptômes physiques ou psychologiques ont tout avantage à être traités par d'autres approches, tels l'acupuncture, l'ostéopathie, la massothérapie, l'hypnose, le yoga ou le Tai Chi.

Si l'individu n'est pas en phase de survie (aiguë ou non aiguë), cela signifie que les interventions thérapeutiques peuvent être davantage axées vers une guérison émotive et énergétique[1], ce qui, selon l'auteur, ne s'inscrit pas dans la spécificité de la médecine moderne. Une autre approche que la médication peut alors être offerte au patient si ce dernier est ouvert à cette possibilité, et ce, pour aller davantage vers un traitement qui cible la globalité de l'être humain, et non pas seulement des symptômes de surface.

La ligne entre la survie et la non-survie est donc celle qui permet de déterminer s'il semble préférable de mettre l'accent sur d'autres approches que la médecine moderne pour traiter les différents problèmes de santé.

Au-delà de la phase de survie, il y a un état de Vie qui demande d'agir plutôt en tenant compte des différentes composantes de l'être humain (physique, émotive, psychologique, énergétique et spirituelle). C'est là qu'interviennent des techniques ou des approches qui sont davantage axées sur la conscience de l'individu et la composante énergétique de ce dernier.

Cette ligne entre la survie et la Vie n'est pas simple à déterminer, mais les critères établis par l'auteur tentent de mieux la cerner pour que les modalités thérapeutiques ciblent davantage la globalité de l'être humain. Il appartient cependant à chacun de déterminer sa propre ligne

---

1   Pour des notions sur la guérison émotive et énergétique, voir le chapitre IV, à la section 4.2.3.

pour que soit précisé à l'intérieur de soi ce qui semble convenir ou non à son propre corps et psychisme.

Cette ligne entre la survie et la Vie permet donc de mieux cerner là où la médecine moderne se trouve dans une forme d'ingérence ou de déviance, car lorsque son approche seulement rationnelle est appliquée alors que le patient n'est plus en phase de survie (aiguë ou non aiguë), elle ne semble pas en mesure d'apporter à l'individu le traitement qui lui convient vraiment, si l'on tient compte de sa globalité.

C'est justement là que la médecine moderne devrait faire preuve d'humilité et reconnaître que son expertise n'est pas la meilleure lorsque l'individu n'est plus en phase de survie (aiguë ou non aiguë) et qu'il se trouve plutôt dans un état de Vie. C'est là également que des approches comme l'acupuncture auraient tout avantage à prendre la place qui leur revient afin que des soins optimaux soient offerts à la population.


## 2.3 : LES PRINCIPAUX MALAISES ET PROBLÈMES DE LA MÉDECINE MODERNE

La médecine moderne se retrouve dans une zone conflictuelle lorsqu'elle applique son approche seulement rationnelle à des situations où le corps physique et le psychisme ne sont pas en situation de survie (aiguë ou non aiguë). Elle vit alors de profonds malaises qui se répercutent sur l'ensemble du réseau de la santé. Pourquoi en est-il ainsi?

Dans cette section, l'auteur tente de mieux identifier les problèmes qui font en sorte que la médecine moderne a de grandes difficultés à assumer seule le rôle de pivot central dans le système de santé, tel que c'est le cas actuellement. En dehors de sa spécificité, tant qu'elle ne prendra pas en considération les éléments qui sont énumérés plus bas, elle continuera semble-t-il d'être une science qui agit avec un certain manque de conscience.

Les principaux malaises et problèmes de la médecine moderne qui ont été identifiés par l'auteur sont les suivants :

— Une approche seulement rationnelle
— L'oubli que les symptômes sont aussi des amis
— La non-considération du réseau énergétique corporel
— La séparation entre le corps et la conscience
— L'incompréhension du mystère de la mort
— L'ingérence sur le Territoire de la conscience
— L'attitude du conquérant
— La coupure avec une sensibilité émotive et corporelle
— L'ignorance du potentiel d'immortalité cellulaire.

## 2.3.1 : UNE APPROCHE SEULEMENT RATIONNELLE

Il est bien connu que la médecine moderne fonctionne à partir d'éléments objectifs, c'est-à-dire à partir de phénomènes vérifiables et prouvés par la méthodologie scientifique. Cette façon de penser a permis, entre autres, d'augmenter significativement l'espérance de vie dans les pays industrialisés. L'approche rationnelle des symptômes et des maladies a donc contribué et contribue encore au bien-être des individus.

Cependant, se pourrait-il que la médecine moderne, lorsqu'elle agit en dehors de sa spécificité, devienne victime d'une logique employée à outrance? Se pourrait-il que l'utilisation d'une approche exclusivement rationnelle vis-à-vis des symptômes ne fasse qu'apporter une vision étroite et même une forme de déviance?

Pour mieux comprendre ceci, on peut se poser la question suivante : qu'arrive-t-il à un individu lorsque, dans son quotidien, il agit principalement à partir de sa tête et de son mental concret? Ne se trouve-t-il pas alors coupé d'autres parties de lui-même? N'a-t-il pas à ce moment tendance à perdre contact avec ses émotions? Ne se trouve-t-il pas alors coupé d'une sensibilité qui lui permettrait de mieux percevoir ses états d'âme?

Un individu qui agit principalement à partir de son rationnel semble donc entretenir une certaine coupure entre ses différentes composantes (physique, émotive, psychologique, énergétique et spirituelle). Ainsi en serait-il également de la médecine moderne lorsqu'elle est utilisée en dehors de sa spécificité. À ce moment, l'approche seulement rationnelle des symptômes ne ferait qu'accentuer un fossé entre chacune des composantes de l'être humain. Ce serait une des raisons pour lesquelles le corps physique s'en trouverait alors réduit à une mécanique sans qu'une connotation subtile lui soit associée.

En dehors de sa spécificité, la médecine moderne porte ainsi en elle la souffrance d'une approche qui n'utilise que la logique cérébrale. Il y a là une profonde déviance, car cela tend à lui faire oublier la globalité de l'être humain. À ce sujet, voir le schéma 2.1 à la page suivante.

N'aborder les symptômes que par les connaissances, en dehors de la spécificité de la médecine moderne, ne ferait ainsi qu'étouffer la Connaissance, soit celle que l'être humain est d'abord une conscience. La souffrance qui en résulte pour cette dernière pourrait même amener un milieu propice à l'apparition d'autres symptômes physiques ou psychologiques.

De par son approche seulement rationnelle, sans prendre en considération la globalité de l'être humain, la médecine moderne pourrait donc, en dehors de sa spécificité, faire en sorte qu'un individu développe des malaises et symptômes, alors qu'elle vise plutôt à les éradiquer. Il y a là une contradiction profonde, soit celle d'une approche qui vise à guérir, mais qui en fin de compte, peut favoriser l'apparition de maladies.

approche seulement rationnelle des symptômes
en dehors de la spécificité de la médecine moderne
↓
coupure avec les émotions et la composante énergétique de l'être humain
↓
oubli de la globalité de l'être humain
↓
déviance de la médecine moderne

**Schéma 2.1 :** Quelques répercussions d'une approche seulement rationnelle en dehors de la spécificité de la médecine moderne

Cela signifierait qu'en n'utilisant que les connaissances sans y greffer davantage de notions de conscience, la médecine moderne pourrait aller jusqu'à nuire à l'expression du potentiel de Vie que transporte un individu. Il y aurait là des attitudes et des gestes qui entraîneraient une coupure avec une énergie créatrice et, par le fait même, une ignorance de la globalité de l'être humain.

De plus, l'utilisation de la pensée rationnelle a fait en sorte que la médecine moderne s'est séparée en plusieurs spécialités (pneumologie, cardiologie, gynécologie…). Dans cette volonté de décortiquer objectivement le corps humain, sans nier le fait que cela ait permis d'importantes percées sur le plan médical, il peut tout de même s'y trouver une forme d'excès lorsque l'on n'y intègre pas les différentes composantes de l'être humain (physique, émotive, psychologique, énergétique et spirituelle).

Le temps est sans doute venu de réunir ces différentes composantes en y ajoutant des notions de conscience par l'intégration d'approches qui visent la totalité de l'individu, sans pour autant négliger l'apport de la recherche médicale pour en augmenter les connaissances.

## 2.3.2 : L'OUBLI QUE LES SYMPTÔMES SONT AUSSI DES AMIS

La façon de voir la maladie est en lien avec la perception que l'on a des symptômes. Ces derniers sont-ils des ennemis ou des amis?

La médecine moderne perçoit les symptômes comme des ennemis à vaincre. Cette façon de penser a permis d'augmenter l'espérance de vie et de développer des traitements en urgence (crise cardiaque, appendicite, fracture...). Elle utilise un arsenal thérapeutique, tels les médicaments et la chirurgie, pour tenter d'abattre et de tuer l'ennemi. Quand elle y parvient, elle crie victoire car elle a permis à la souffrance et à la mort de s'éloigner.

Cependant, en dehors de sa spécificité, lorsque la médecine moderne tente d'éradiquer des symptômes, il est aussi possible qu'elle nuise au processus évolutif de l'individu en ne tenant pas compte de la globalité de ce dernier. Dans la douleur ou la souffrance, qu'elle soit physique ou psychologique, se trouveraient également des parcelles de Vie qui demandent à voir le jour, mais qui nécessitent que soit transformée une surcharge émotive (tristesse, frustration, colère, culpabilité...)[1].

En d'autres termes, si l'on perçoit que les symptômes sont la clef même de leur soulagement, ils deviennent des amis. D'un autre côté, si l'on ne perçoit pas l'enseignement qu'ils nous apportent, ils deviennent des ennemis.

C'est, entre autres, dans la façon de percevoir les symptômes que se confrontent la pensée occidentale (médecine moderne) et la pensée orientale (médecine chinoise).

## 2.3.3 : LA NON-CONSIDÉRATION DU RÉSEAU ÉNERGÉTIQUE CORPOREL

Lorsque la médecine moderne sort de sa spécificité, elle souffre actuellement de ne pas considérer dans son approche l'existence du réseau énergétique corporel que les médecines orientales ont très bien documenté — que l'on pense entre autres aux méridiens en acupuncture.

Ce réseau énergétique à l'intérieur du corps permet de greffer une notion de globalité aux soins apportés. Comment peut-on alors agir efficacement sur le corps si l'on ne tient pas compte des trames énergétiques internes? Comment peut-on dire que l'on guérit vraiment le corps si l'on ne tient pas compte de sa composante énergétique? Il y a là un oubli de taille qui explique en partie les limites auxquelles la médecine moderne est actuellement confrontée. À ce sujet, voir le schéma 2.2 à la page suivante.

---

1  Ce sujet est aussi abordé plus loin dans ce volume, soit aux sections 3.4.4 et 4.2.1.

approche seulement rationnelle des symptômes
en dehors de la spécificité de la médecine moderne

↓

oubli de la globalité de l'être humain

↓

non-considération du réseau énergétique corporel

↓

déviance de la médecine moderne

**Schéma 2.2** : La non-considération du réseau énergétique corporel

Comme la médecine moderne n'a pas de connaissances sur le réseau énergétique du corps humain, elle ne fait que conclure que cette dimension de l'être humain n'existe pas, faute de preuves scientifiques. Cependant, c'est par cette conclusion que la science médicale se déconnecte d'un processus thérapeutique qui vise la globalité des individus.

Ne pas considérer le réseau énergétique corporel, en dehors de la spécificité de la médecine moderne, c'est oublier une composante subtile de l'être humain qui permet d'expliquer de façon précise les causes sous-jacentes des dysfonctions organiques et des symptômes. Plus des individus et une société percevront cette réalité, plus il sera possible d'implanter l'acupuncture comme modalité thérapeutique dans le milieu hospitalier [1].

## 2.3.4 : LA SÉPARATION ENTRE LE CORPS ET LA CONSCIENCE

Pour chaque individu, la difficulté d'établir le lien entre son corps et sa conscience proviendrait surtout de son ignorance, c'est-à-dire du non-Savoir que dans son corps physique se trouve également sa propre conscience.

Il en serait de même pour la médecine moderne. La grande difficulté qu'a cette dernière à établir des ponts entre le corps et la conscience des individus proviendrait du fait que cette approche est actuellement coupée de la composante subtile de l'être humain, plus particulièrement du réseau énergétique corporel. L'ignorance profonde que transporte la médecine moderne, elle est entre autres là. Elle n'agit que par ce qui se voit

---

1  À ce sujet, voir le chapitre IV.

à l'œil nu, ce qui amène, en dehors de sa spécificité, des attitudes et des comportements déviants, qui sont basés seulement sur une logique rationnelle. Il en résulte alors une science qui se caractérise par une vision très étroite et qui, quelque part, oublie l'essentiel. Cela est illustré au schéma 2.3.

approche seulement rationnelle des symptômes
en dehors de la spécificité de la médecine moderne
↓
oubli de la globalité de l'être humain
↓
non-considération du réseau énergétique corporel
↓
séparation entre le corps et la conscience
↓
déviance de la médecine moderne

**Schéma 2.3 :** La séparation entre le corps et la conscience

Les dernières décennies ont fait en sorte que la médecine moderne s'est divisée en de multiples spécialités (cardiologie, pneumologie, urologie…), ce qui a contribué à faire avancer la recherche pour mieux expliquer les causes physiologiques de certaines maladies et aussi offrir de meilleurs traitements médicamenteux. Cependant, cette division de la médecine semble aussi avoir provoqué une plus grande séparation entre le corps et la conscience des individus. Elle a entraîné l'oubli que l'être humain est d'abord un Tout, et qu'il ne se définit pas seulement à partir du corps physique, mais qu'il possède également une composante émotive, psychologique, énergétique et spirituelle.

Ainsi, de par sa non-considération du réseau énergétique corporel, la médecine moderne semble contribuer à un mouvement de séparation entre le corps et la conscience de chacun.

Cela signifie qu'en dehors de sa spécificité, les interventions de la médecine moderne peuvent entraîner une désunion des différentes composantes de l'être humain lorsqu'elles ne tiennent pas compte de ces dernières. Les gestes posés auraient alors tendance à séparer ce qui cherche à se réunifier.

## 2.3.5 : L'INCOMPRÉHENSION DU MYSTÈRE DE LA MORT

Une médecine de survie est une médecine qui agit et développe des traitements par peur de la mort. Elle cherche alors à repousser cette dernière comme l'a fait la médecine moderne en augmentant de façon significative l'espérance de vie au cours des 60 dernières années, ce qui, en soi, est plus que remarquable. Cependant, il n'en reste pas moins qu'en dehors de sa spécificité, elle n'y greffe pas actuellement les notions de Vie que transporte l'être humain.

Comme la médecine moderne fonctionne principalement à partir de la logique cérébrale, elle n'a pu vaincre qu'en surface la mort par des approches extérieures (médicaments, chirurgie, radiothérapie…). Tant que le réseau énergétique corporel et la conscience de l'individu ne sont pas considérés, la science médicale semble ainsi rester dans un mouvement de fuite et de peurs vis-à-vis du trépas.

L'incompréhension du mystère de la mort serait entre autres causée par la perte d'une dimension sacrée et l'oubli de la composante d'éternité qu'elle contient. Ce serait le cas lorsque la mort n'est pas vue comme un passage menant à la Vie. Ce serait aussi le cas lorsqu'elle est réduite à la seule définition d'un arrêt du fonctionnement des organes corporels.

En d'autres termes, lorsque la mort n'a d'autre signification que celle que la science médicale lui donne actuellement, elle serait dépouillée de son ultime essence et se trouverait désacralisée.

La médecine moderne tente ainsi d'objectiver un phénomène qui relève de la conscience en chacun. Elle réduit à une explication corporelle un mystère qui est sans doute le passage le plus important pour un être, soit celui où sa conscience quitte définitivement son corps.

Parce que la mort demeure un phénomène incompris, la médecine moderne tend à la rejeter et à la percevoir comme un échec. Elle devient alors une ennemie à vaincre.

Les traditions ancestrales (Tibétains, Taoïstes, Amérindiens…) enseignent cependant que nier la mort, c'est aussi nier la Vie. C'est ainsi oublier l'immortalité dont elle regorge et ne pas tenir compte qu'elle est la porte vers une autre naissance.

Lorsqu'une société comprend que la mort n'est qu'un passage et qu'elle fait partie d'une continuité dans l'évolution de chacun, elle s'active à préparer le moment du trépas et ne cherche plus à sauver des vies lorsque la conscience de l'être demande à quitter le plan terrestre.

En rejetant la mort, la médecine moderne se trouve ainsi coincée dans sa propre déconnexion[1] et ne peut que très difficilement accéder à des niveaux de conscience plus élevés. Elle ne fait alors qu'alimenter le cycle des souffrances.

## 2.3.6 : L'INGÉRENCE SUR LE TERRITOIRE DE LA CONSCIENCE

Confiner la vie au seul corps physique peut amener des interventions qui s'ingèrent sur un Territoire appartenant à la conscience. Quand on ne sait pas, on utilise les moyens connus, et les moyens connus actuellement par la médecine moderne se heurtent à plusieurs incompréhensions, dont celui du mystère de la mort.

L'ingérence du système médical en place semble ainsi cacher une profonde déviance. Dans ce vouloir à n'expliquer les choses que par l'intellect, n'existerait-il pas une forme d'insécurité? N'y aurait-il pas une peur d'un monde plus subtil?

L'ingérence de la médecine moderne se produit également lorsqu'elle pose des gestes qui ne relèvent pas de sa spécificité et qu'elle tente de traiter une symptomatologie alors que le corps ou le psychisme ne sont pas en état de survie (aiguë ou non aiguë). Elle fait en sorte que d'autres approches, telle l'acupuncture, ont de la difficulté à prendre une place prépondérante dans le réseau de la santé.

Cette ingérence de la médecine moderne étouffe actuellement ceux et celles qui désirent travailler à partir de la Connaissance[2] tout en tenant compte des connaissances acquises.

## 2.3.7 : L'ATTITUDE DU CONQUÉRANT

Avant que l'homme blanc découvre l'Amérique, des peuples autochtones vivaient sur ce territoire. Ils avaient leurs coutumes, leurs croyances, leurs langues et leurs rituels. Ces peuples avaient également développé leur propre médecine, à base de plantes et d'herbes, et des chamans savaient communiquer avec les esprits grâce à leurs dons occultes.

L'arrivée de l'homme blanc, dans les années 1600, a profondément bouleversé leur rythme de vie. Le conquérant a mené des batailles sans vraiment prendre en considération ce dont les peuples autochtones étaient porteurs, en termes de Savoir et

---

1  Déconnexion = coupure avec la Vie
   Reconnexion = processus visant à rétablir le contact avec sa conscience.
2  La Connaissance est, entre autres, le Savoir que l'être humain est d'abord et avant tout une conscience.

d'enseignements. Les Indiens d'Amérique ont ainsi perdu de nombreuses vies, de même qu'une grande partie de leur territoire.

Le lecteur se demandera sans doute quel est le lien entre cet épisode de l'histoire et les problèmes qu'éprouvent actuellement la médecine moderne et le système de santé québécois. Il s'avère tout de même très important de le signaler pour mieux comprendre là où la science contemporaine baigne dans une profonde déviance.

C'est qu'à l'heure actuelle, en ne se fondant que sur l'aspect rationnel des choses, la médecine moderne perpétue l'attitude du conquérant de l'homme blanc. Elle continue de vouloir conquérir le corps physique seulement par le biais des connaissances scientifiques, ce qui, à la longue, devient un leurre profond. Elle oublie ainsi que l'être humain est d'abord et avant tout une conscience, tel qu'enseigné par les peuples autochtones.

Dans le monde médical actuel, l'ignorance que l'être humain est porteur d'une conscience entraîne des attitudes et des comportements qui vont jusqu'à nuire au processus évolutif des individus, entre autres parce que l'homme blanc n'a pas su tirer profit du Savoir que véhiculaient les peuples autochtones.

L'homme blanc aurait donc conquis des peuples, de la même façon que la médecine moderne tenterait actuellement de conquérir le corps humain (voir le schéma 2.4 à la page suivante). Ce serait la même attitude, la même volonté de supériorité qui écraserait un désir de vivre et d'exister, tant au niveau racial que cellulaire. Continuer ainsi, sans y associer de notions plus subtiles, ne ferait que perpétuer une violence insidieuse et une coupure avec l'énergie de la Mère[1], et ainsi nuire au potentiel de vie dont regorgent les cellules.

La profonde coupure dont la médecine moderne souffre en ce moment, c'est donc la perte de contact avec l'énergie de la Mère. Il devient irrespectueux sur le plan énergétique de poser des gestes qui vont à l'encontre de la conscience même des cellules corporelles qui, elles, ne demandent qu'à se nourrir à partir d'une énergie féconde.

Ainsi, la séparation entre le corps et la conscience serait une résultante de la même attitude qu'a eue l'homme blanc lorsqu'il a débarqué en Amérique pour conquérir de nouveaux territoires. Il s'agit bien sûr de deux époques différentes, mais en fait, ce serait la même attitude empreinte de violence qui cherche à conquérir un territoire sacré, soit celui de la Mère.

---

1  L'énergie de la Mère est celle se trouvant au cœur de toute création visible et celle se trouvant au centre de chaque cellule du corps humain. Il s'agit, en fait, de l'énergie de *Mère Terre*, tel que l'enseignent les Amérindiens.

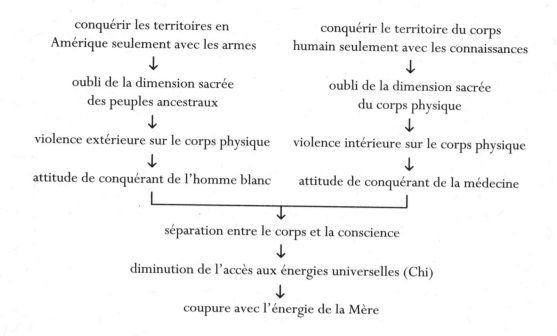

**Schéma 2.4 :** L'attitude du conquérant

## 2.3.8 : LA COUPURE AVEC UNE SENSIBILITÉ ÉMOTIVE ET CORPORELLE

Lorsque les connaissances ne sont pas suffisamment reliées à la conscience, elles ont tendance à écraser une sensibilité qui permet aux individus de ressentir les émotions. La médecine moderne semble ainsi participer à l'étouffement de l'aspect Féminin[1] en chacun lorsqu'elle pose des gestes en dehors de sa spécificité, ce qui nuit à l'émergence d'un potentiel de créativité.

La science médicale aurait donc tout avantage à intégrer dans son approche une plus grande sensibilité, c'est-à-dire à faire davantage appel aux sens et aux perceptions, par exemple au toucher[2]. Le problème, c'est que lorsqu'elle en est coupée, elle se réfugie alors dans des attitudes et des comportements qui ne proviennent que d'une logique rationnelle. Il s'ensuit une profonde coupure avec l'Intelligence du corps et sa composante émotive.

---

1 La sensibilité est en lien avec le pôle féminin en chacun, que l'on soit homme ou femme.
2 Le toucher thérapeutique est abordé au chapitre IV.

En dehors de sa spécificité, la médecine moderne porte ainsi les malaises et les symptômes d'une structure qui n'est que très peu en contact avec une sensibilité émotive et corporelle. Cette coupure avec le Féminin semble contribuer à maintenir un fossé entre le corps et la conscience des individus.


## 2.3.9 : L'IGNORANCE DU POTENTIEL D'IMMORTALITÉ CELLULAIRE

La médecine moderne a permis d'augmenter l'espérance de vie, qui tourne actuellement autour de 80 ans en Occident. L'être humain peut ainsi bénéficier de cette aide extérieure à lui-même pour espérer vivre en moyenne huit décennies, ce qui est extraordinaire. Il n'en reste pas moins cependant que le système de santé actuel n'apprend pas à l'individu à s'alimenter d'énergie universelle (Chi[1]) pour entretenir une meilleure vitalité.

Les Taoïstes enseignent que les cellules du corps physique ont un potentiel d'éternité. Il est actuellement très difficile pour la médecine moderne d'être en contact avec cette réalité, car cela demande notamment de prendre en considération le réseau énergétique du corps humain.

La science médicale espère tant découvrir dans ses laboratoires la pilule miracle qui permettra de prolonger l'existence terrestre de façon significative. Il semble cependant que les vrais laboratoires alchimiques se retrouvent d'abord et avant tout à l'intérieur de chacun. C'est là, selon les Taoïstes, où il est possible de développer la Pilule d'Immortalité.

Tant que la médecine moderne n'ajoutera pas à son approche des notions de conscience véhiculées par les traditions ancestrales, elle se butera à sa fermeture et aux limites génétiques imposées par l'espèce humaine. Sans l'aide de la Connaissance, il est évident pour l'auteur que les seules connaissances ne peuvent permettre d'accéder à l'état de jeunesse éternelle.

---

1  Le Chi est un concept de la pensée taoïste. Il signifie *énergie* ou *essence vitale*.

## 2.4 : UN REFLET DE L'IGNORANCE COLLECTIVE

Concernant les principaux malaises et problèmes que présente actuellement la médecine moderne et qui ont été décrits précédemment, il serait un leurre de seulement la pointer du doigt et de dire qu'elle en est l'unique responsable.

Comme la médecine moderne est une structure bien établie dans la société québécoise, elle fut à la base construite à partir du consentement de la collectivité. Si elle est actuellement le pivot central du système de santé, c'est qu'un ensemble d'individus y donne son accord et participe de façon inconsciente à cette réalité temporelle. Le réseau de la santé, tel qu'il est aujourd'hui, serait ainsi le reflet de la société actuelle. Si l'un est dans une phase de déconnexion, il en serait de même pour l'autre.

Cela signifie que si la médecine moderne présente actuellement des malaises et problèmes, c'est qu'elle subit inconsciemment l'influence de l'ensemble de la collectivité. Ainsi, même si l'on se retrouve en apparence à l'extérieur du système de santé, il est possible que nos lourdeurs individuelles alimentent celles qui sévissent actuellement dans le milieu hospitalier et l'ensemble du réseau de la santé.

Dire que c'est seulement à la médecine moderne de s'ouvrir au réseau énergétique du corps humain est donc en soi un leurre profond, car c'est d'abord à chacun de créer cette ouverture pour que collectivement le niveau de conscience s'élève. Cela demande entre autres d'élargir sa propre perception de soi-même et de ressentir que l'on est bien plus qu'un corps physique.

Plus un grand nombre d'individus percevra qu'en eux se trouvent plusieurs composantes (physique, émotive, psychologique, énergétique et spirituelle), plus cela permettra de transcender une ignorance collective pour que soit implanté un réseau qui vise davantage le traitement de la globalité de l'être humain et qui offre ainsi des soins optimaux à la population.

## 2.5 : LA RELATION PATIENT-MÉDECIN

Quand une personne consulte un médecin (ou tout autre thérapeute) pour ses problèmes de santé, elle se place dans une position où elle remet entre les mains d'une autorité sa propre capacité à s'autoguérir. Elle avoue alors inconsciemment qu'elle n'est pas en mesure de s'apporter elle-même une énergie curatrice, et qu'elle est dans l'incapacité de trouver la clef intérieure qui permettrait l'apaisement de ses symptômes.

En d'autres termes, cette personne demande de l'aide pour soulager l'enfermement dans lequel se trouve sa conscience. Elle est donc dans un état où il semble nécessaire de calmer les symptômes physiques et psychologiques, sinon le psychisme risque fort probablement de vivre une angoisse plus grande. Une aide extérieure, tels les médicaments, peut alors être nécessaire.

Cependant, est-ce qu'avec l'arsenal thérapeutique actuel de la médecine moderne, cette dernière répond vraiment à la souffrance interne que présente le patient? En fait, elle tente plutôt de soulager les symptômes physiques et psychologiques de cette détresse intérieure. Mais peut-on l'accabler de reproches? N'est-ce pas la demande même du patient qui consulte?

Il y a là un jeu entre deux individus. Celui qui ignore les causes émotives et énergétiques de ses symptômes (le patient) et celui qui tente de soulager ces mêmes symptômes par les moyens connus de la médecine moderne, sans que toutes les composantes de l'être humain soient nécessairement considérées. Deux ignorances s'affronteraient donc, le médecin y allant avec son propre raisonnement et avec la pensée scientifique qui lui a été inculquée.

Par ailleurs, quand bien même un médecin aurait une grande ouverture à d'autres approches, telles l'acupuncture ou l'ostéopathie, il fait habituellement face à des gens qui cherchent, consciemment ou non, à régler leur symptomatologie par une aide extérieure, soit principalement des médicaments. Le contexte actuel fait en sorte que le médecin se plie régulièrement à la demande du patient, sans quoi la détresse psychologique intérieure ne serait pas calmée.

Les reproches que l'on peut faire à la médecine moderne seraient donc d'abord et avant tout des manques intérieurs provenant des individus qui composent la société. Si ces derniers avaient une plus grande connaissance de leur globalité et qu'ils savaient mieux gérer intérieurement leurs déséquilibres physiques et psychologiques, il y aurait beaucoup moins de consultations médicales. La médecine moderne pourrait alors mieux se concentrer sur sa spécificité et n'œuvrer que dans des contextes de survie corporelle plus graves.

Mais à cause d'un manque de Connaissance, l'ignorance de la globalité de l'être humain devient un moteur de consommation de services médicaux et de produits pharmaceutiques. Dans tout cela, le médecin, lui, agit selon la formation qu'il a reçue et selon la détresse intérieure de survie des patients qu'il rencontre.

Ainsi, ce serait l'ensemble des individus qui composent la société qui ferait en sorte que la médecine moderne aurait des attitudes et des comportements déviants, et non pas tant la médecine moderne elle-même.

# CHAPITRE III

## LA SURCONSOMMATION DE MÉDICAMENTS

## 3.1 : LA SITUATION AU QUÉBEC

*« Au Québec,... notre confiance envers les médicaments est trop grande, nous en consommons beaucoup. En 2010, nous étions au premier rang au Canada en ce qui concerne les dépenses des médicaments, avec 1017 dollars par personne, comparativement à 967 dollars pour l'Ontario et 912 dollars pour l'ensemble du pays. En 2008, sur 25 pays étudiés par l'OCDE, le Canada se classait au 2e rang dans ce domaine, derrière les États-Unis... »*

Claude Castonguay, *Santé : l'heure des choix*, 2012

*« Au Québec, en 10 ans, le coût du régime d'assurance-médicament est passé de 1,3 milliard à 3,1 milliards de $. Les ordonnances, tenez-vous bien, il y en a eu 107 millions l'an dernier pour 3 millions d'usagers. Ce qui veut dire qu'en moyenne, chaque Québécois avale 750 pilules par année. »*

*Québec sur ordonnance*, film de Paul Arcand, 2007

Pour un individu, la surconsommation de médicaments peut mener à des effets indésirables, voire à de graves problèmes physiques et psychologiques, et dans le pire des cas, elle peut aller jusqu'à entraîner la mort.

Au niveau collectif, la surconsommation de médicaments engendre des coûts pour le système de santé. Que l'on pense, entre autres, aux dépenses publiques pour couvrir le régime d'assurance-médicaments, qui augmentent d'année en année. De façon plus sournoise, elle pourrait aller jusqu'à causer des symptômes d'épuisement pour le personnel médical (médecins, infirmières, secrétaires...). Cela est illustré au schéma 3.1.

surconsommation de médicaments

↓

augmentation du nombre de consultations médicales

↓

augmentation du nombre d'hospitalisations

↓

augmentation de la charge de travail pour le personnel médical

↓

symptômes d'épuisement du personnel médical

**Schéma 3.1 :** Des répercussions de la surconsommation de médicaments

Une collectivité qui consomme trop de médicaments amène ainsi une augmentation de la charge de travail chez le personnel médical, pouvant alors entraîner des symptômes d'épuisement chez ce dernier. Cela ne reflète-t-il pas l'état actuel des principaux intervenants du système de santé québécois?

Dans cette surconsommation de médicaments, n'y aurait-il pas un effet pervers provenant des compagnies pharmaceutiques? Plus un médecin prescrit de médicaments, plus les dangers d'effets secondaires et d'interactions médicamenteuses existent, et plus les gens se doivent de consulter un médecin. N'y a-t-il pas là une roue qui tourne et qui alimente l'industrie pharmaceutique? N'y aurait-il pas là un cercle vicieux qu'il serait préférable de briser pour favoriser une meilleure santé de la population?

## 3.2 : LA LIMITATION DES ÉTUDES

Avant qu'un médicament soit mis sur le marché, il doit faire l'objet d'études pour s'assurer que ses bénéfices l'emportent sur ses effets secondaires possibles. À propos de ces études, une des personnes interviewées dans le film *Québec sur ordonnance* de Paul Arcand, présenté en 2007, disait ceci :

*« Santé Canada ne fait pas d'études indépendantes, ne fait pas d'études cliniques comme telles. On se base sur les manufacturiers qui nous soumettent cette information-là. »*

Étienne Ouimette
Directeur général
Produits de santé et Aliments
Santé Canada

Cela signifie que le gouvernement canadien ne ferait que se baser sur les études présentées par les compagnies pharmaceutiques pour la mise en marché d'un médicament. Santé Canada ne ferait donc pas de recherches indépendantes pour s'assurer de la véracité des études faites par l'industrie pharmaceutique, qui elle-même apporte le soutien financier à ces études. N'y a-t-il pas là un élément très inquiétant pour la santé du public? N'y a-t-il pas là une confiance aveugle en des informations transmises par des compagnies qui ne cherchent qu'à augmenter leurs profits sur le dos des consommateurs?

Il y a vraiment de quoi se questionner : puis-je être sûr de la sécurité et de l'efficacité d'un médicament simplement parce qu'une compagnie me dit qu'elle a fait des études, sans même qu'une autre autorité indépendante ne puisse confirmer les résultats de ces mêmes études?

De plus, concernant les études des compagnies pharmaceutiques, Dr Yves Lamontagne, alors qu'il était président du Collège des médecins du Québec en 2007, mentionnait ceci :

*« C'est sûr que les résultats négatifs ne sortent jamais, c'est enterré et on n'en parle plus. »*

Extrait du film Québec sur ordonnance, 2007

Non, mais... qu'est-ce que cela veut dire? Que les résultats négatifs des études pharmaceutiques ne sont pas publiés et qu'ils ne parviennent jamais aux oreilles de la population, alors que l'on ne brandit que les résultats supposément positifs?

Dans cette même lignée, la revue électronique Scientific American a publié, le 20 février 2013, un extrait de *Bad Pharma : How Drug Companies Mislead Doctors and Harm Patients*[1], de Ben Goldacre. Il était indiqué ceci :

*« Les essais financés par l'industrie pharmaceutique sont plus susceptibles de produire un résultat positif et flatteur que les essais financés par des organismes indépendants. »*

Pour un système de santé qui repose sur les bases d'une science objective, il y a là un biais et une mésinformation qui ne reposent plus sur l'objectivité, mais plutôt sur une subjectivité cherchant des gains financiers. L'industrie pharmaceutique serait ainsi dans un énorme conflit d'intérêts, subventionnant des études qu'elle ne publie que très peu lorsque les résultats sont négatifs, et ne publiant que des résultats qui permettent la mise en marché de médicaments supposément sécuritaires et efficaces.

Si l'industrie pharmaceutique agit ainsi, et qu'à la base elle se veut un prolongement du corps médical car ce dernier ne peut fonctionner sans elle, ne serait-ce pas le signe que notre système de santé ne repose pas sur des valeurs de transparence et de droiture? Pourquoi laisse-t-on autant de pouvoir à une industrie qui, à la base, cherche le profit et la rentabilité, et pourquoi aucune mesure n'est-elle prise pour s'y opposer? N'y aurait-il pas là une forme de manipulation sur la collectivité?

---

1  Traduction :

Vilaines pharmaceutiques : Comment les compagnies pharmaceutiques induisent en erreur les médecins et font du tort aux patients. À ce sujet, voir le site Web suivant :
http://www.scientificamerican.com/article.cfm?id=trial-sans-error-how-pharma-funded-research-cherry-picks-positive-results&WT.mc_id=SA_CAT_HLTH_20130219

### 3.3 : LES LIMITATIONS DE L'APPROCHE MÉDICAMENTEUSE

*« Trop de médicaments inutiles sont prescrits, trop d'examens superflus sont réalisés. Il existe un aveuglement collectif alimenté par le marketing pharmaceutique, l'intérêt personnel de certains médecins, et la crédulité du public. »*

Dr Dominique Dupagne, médecin généraliste français
Revue *L'Actualité médicale*, 25 avril 2012

La médecine moderne sauve des vies de par ses méthodes de survie et elle a su développer une très grande expertise à ce niveau, ce qui est remarquable. Cependant, là où les choses se gâtent, c'est lorsque cette approche rationnelle applique ses traitements quand le corps ou le psychisme ne sont plus en phase de survie (aiguë ou non aiguë). Dans ce cas, même si certains traitements médicamenteux peuvent avoir tendance à diminuer les symptômes, ils semblent cependant entraîner une dépense énergétique accrue qui perturbe le bon fonctionnement des cellules à long terme.

En d'autres mots, la médecine moderne pourrait aller jusqu'à nuire au potentiel de Vie se trouvant à l'intérieur d'un individu lorsqu'elle tente d'appliquer son expertise en dehors de sa spécificité. Cela signifie que les gestes posés auraient alors tendance à entraîner une forme de nuisance qui perturbe le système de l'individu au-delà des apparences.

Nuire au potentiel de Vie veut ainsi dire que les gestes posés diminuent l'apport en énergie universelle (Chi) à l'organisme et favorisent le vieillissement des cellules. Des exemples sont donnés plus loin et concernent les antidépresseurs, les anxiolytiques et les médicaments utilisés pour le traitement de la dysfonction érectile.

Selon l'auteur, les principales questions à se poser sont les suivantes : est-ce que les interventions de la médecine moderne, en dehors de sa spécificité, nuisent au potentiel de Vie de l'individu? Est-ce qu'elles vont dans le sens d'un mouvement de reconstruction de l'être dans sa globalité (physique, émotive, psychologique, énergétique et spirituelle)? En tentant d'apaiser le(s) symptôme(s) par des médicaments, ne suis-je pas en train d'étouffer une partie de l'être humain qui désire vivre une transformation? Est-ce que mon rôle, en tant qu'intervenant de la santé, n'est pas plutôt d'amener l'individu vers une forme d'autosuffisance vis-à-vis de lui-même et de sa propre santé?

À la base, si l'intervention ou le geste médical ne tient pas compte du fait que l'être humain a plusieurs composantes, et non pas seulement un corps physique, il y aurait lieu de se questionner. Et ce serait là que la médecine moderne n'aurait pas développé les traitements qui favoriseraient une santé globale. Ce serait aussi là où son ingérence semblerait néfaste en occupant un Territoire qui ne relèverait pas de ses connaissances. Ce serait donc là où la médecine moderne se retrouverait dans une situation d'échec qu'elle n'ose cependant avouer.

En dehors de sa spécificité, il semble donc évident que la médecine moderne a ses propres limitations dans le traitement des symptômes physiques et psychologiques. Il est même clair pour l'auteur que certains médicaments sont néfastes d'un point de vue énergétique. Ce qui suit démontrera mieux la mentalité scientifique qui tente de donner des traitements seulement en fonction d'une symptomatologie apparente, alors qu'à un autre niveau, cela ne ferait que nourrir une coupure avec les énergies universelles (Chi).

## 3.4 : LES ANTIDÉPRESSEURS ET LES ANXIOLYTIQUES

### 3.4.1 : LES PATIENTS CIBLES

Les antidépresseurs sont prescrits pour le traitement de la dépression. Cette dernière est diagnostiquée lors de la présence de certains symptômes qui persistent, dont la fatigue, la tristesse, la difficulté à se concentrer et l'irritabilité.

Les anxiolytiques sont prescrits pour diminuer l'angoisse et les manifestations de l'anxiété (insomnie, trouble panique...).

### 3.4.2 : QUELQUES CHIFFRES ET ÉTUDES

— Au Canada, 10 % des citoyens consomment des antidépresseurs[1].

— En 2010, les Québécois consommaient 36 % des antidépresseurs au pays[2], alors qu'ils représentaient 23,2 % de la population canadienne.

— En 2010, au Québec, 13 111 202 ordonnances d'antidépresseurs ont été remplies, comparativement à 8 754 883 ordonnances en 2006. Globalement, 50,1 % des nouveaux utilisateurs avaient 60 ans ou plus et les femmes représentaient environ les deux tiers des nouveaux utilisateurs d'antidépresseurs[2].

— Au Québec, entre 2005 et 2008, le nombre d'ordonnances d'antidépresseurs à des jeunes de moins de 19 ans est passé de 672 642 à 2 004 416, soit une hausse de 196 %. Le Québec est alors devenu la province au Canada où l'on prescrit le plus d'antidépresseurs aux jeunes[3].

---

1  Selon la revue *L'Actualité médicale*, 19 décembre 2012.
2  Selon l'article *Antidépresseurs, nouveau record au Québec, 13 millions d'ordonnances*, publié dans le *Journal de Montréal*, 7 février 2011.
3  Selon une étude de *IMS Health*.

— Au Québec, en 2011, la consommation d'antidépresseurs a coûté 420 millions de $ au système public et aux compagnies d'assurance[1].

— Au Canada, la dépression coûte 50 milliards de $ par année (dont 33 milliards de $ aux entreprises). La facture a explosé depuis 2001, alors que Santé Canada estimait le coût de la dépression à 14,4 milliards de $ à l'époque[2].

— Le *Guide des 4000 médicaments utiles, inutiles ou dangereux*, des professeurs Philippe Even et Bernard Debré, mentionne ce qui suit :

« *... de très nombreux essais cliniques ont montré que les antidépresseurs ISRS sont égaux ou à peine supérieurs aux placebos!* »

— Le 6 janvier 2010 a été publiée l'étude *Antidepressant Drug Effects and Depression Severity* dans le JAMA (Journal of the American Medical Association)[3]. Cette étude conclut que l'effet des traitements antidépresseurs augmenterait avec la sévérité de la dépression. Pour les patients ayant des symptômes dépressifs légers à modérés, le bénéfice d'un traitement antidépresseur par rapport au placebo serait minime, voire inexistant. Pour les patients atteints de dépression très sévère, le bénéfice de la médication par rapport au placebo serait significatif.

— Le 26 février 2008 a été publiée l'étude *Initial Severity and Antidepressant Benefits : A Meta-Analysis of Data Submitted to the Food and Drug Administration*. Cette méta-analyse a repris les données de 47 études cliniques sur les antidépresseurs. Elle mentionne que la différence de résultat antidépresseur/placebo augmente selon l'intensité de la dépression, mais demeure relativement modeste même pour les patients sévèrement atteints. Les chercheurs en viennent à la conclusion que la relation entre l'intensité initiale de la dépression et l'efficacité des antidépresseurs est attribuable à une réaction moindre au placebo chez les patients sévèrement déprimés, plutôt qu'à une réaction plus grande à la médication[4].

— Le 17 janvier 2008, dans le *New England Journal of Medicine*, a été publié un article qui s'intitulait *Selective Publication of Antidepressant Trials and Its Influence on Apparent Efficacy* et qui montrait que sur un total de 74 études sur l'effet des antidépresseurs, 23 études (31 %) n'ont pas été publiées. Onze autres études (15 %) ont été

---

1  Selon la revue *L'Actualité médicale*, 19 décembre 2012.

2  Selon l'article *Une maladie dispendieuse*, publié dans le *Journal de Montréal*, 4 août 2011.

3  Pour plus d'informations, voir le site Web suivant :
   http://jama.jamanetwork.com/article.aspx?articleid=185157

4  Pour plus d'informations, voir le site Web suivant :
   http://www.plosmedicine.org/article/info:doi/10.1371/journal.pmed.0050045

publiées comme étant positives, mais ce résultat était en contradiction avec la décision de la *Food and Drug Administration* (FDA), qui analyse chacune des études[1].

Selon cet article dans le *New England Journal of Medicine*, lorsque les résultats d'études sur les antidépresseurs sont négatifs, ils auraient tendance à être moins publiés que lorsque les résultats sont positifs.


### 3.4.3 : LES QUESTIONS À SE POSER

Les antidépresseurs et les anxiolytiques font partie des médicaments les plus prescrits actuellement. Mais de quoi cela est-il le reflet? Que se passe-t-il vraiment lorsqu'un individu prend un antidépresseur ou un anxiolytique? Quelle est la composante énergétique à ce geste? Pour un médecin, est-ce un acte si banal que de prescrire ces médicaments?

Avant d'aller plus loin, il semble bon de rappeler ce qui a été mentionné au chapitre II, en ce qui concerne la spécificité de la médecine moderne. Selon l'auteur, cette spécificité se résume à la phase de survie aiguë que peuvent manifester le corps physique et le psychisme, ainsi que la phase de survie non aiguë, c'est-à-dire :

1) Phase de survie aiguë :

   → Lorsque le corps physique est en danger de mort (crise cardiaque, pneumonie, cancer...)
   → Lorsqu'une douleur devient intolérable (entorse lombaire, calcul urinaire...)
   → Lorsqu'un individu a des idées suicidaires ou homicidaires
   → Lorsqu'un individu présente une anxiété excessive (trouble panique ou insomnie sévère).

2) Phase de survie non aiguë :

   Lorsque l'individu présente une pathologie qui demande à se stabiliser pour tenter de prévenir une phase de survie aiguë au niveau du corps physique. En voici deux exemples :

   → Le diabète insulinodépendant
   → L'hypertension artérielle.

---

1  Pour plus d'informations, voir le site Web suivant :
   http://www.nejm.org/doi/full/10.1056/NEJMsa065779

En ce qui concerne l'utilisation des antidépresseurs et des anxiolytiques, la question à se poser est donc la suivante :

*Est-ce que le psychisme des gens qui prennent des antidépresseurs ou des anxiolytiques est en phase de survie aiguë?*

Si la réponse est non, on peut alors se demander jusqu'à quel point ces médicaments entretiennent les limitations de la médecine moderne et apportent ainsi une certaine nuisance au potentiel de Vie dont regorge l'individu. Cela signifierait qu'ils provoqueraient plutôt des perturbations car ils seraient alors donnés en dehors de la spécificité de la médecine moderne.

Certains diront que l'on pourrait classer dans la phase de survie non aiguë les symptômes dépressifs sans idées suicidaires, et ce afin d'éviter que ces symptômes s'aggravent et se manifestent éventuellement en phase de survie aiguë, c'est-à-dire avec des idées suicidaires. Logiquement, cela a du sens, et c'est actuellement la façon de penser de la médecine moderne.

Cependant, selon l'auteur, il y a là une méconnaissance, autant chez les médecins que chez les patients, des causes profondes qui provoquent les symptômes d'anxiété et de dépression, ce qui fait en sorte qu'un traitement médical est donné au lieu d'approfondir la problématique.

Ainsi, bien que l'on puisse dire que les symptômes dépressifs sans idées suicidaires pourraient être classés dans la phase de survie non aiguë, ce qui en ferait une spécificité de la médecine moderne, l'auteur insiste sur le fait que cela ne devrait pas être le cas, car le traitement médical habituellement prescrit ne tient compte que des symptômes psychologiques de surface, alors qu'il s'agit plutôt d'une situation où le traitement devrait viser la globalité de l'être humain, soit ses composantes physique, émotive, psychologique, énergétique et spirituelle.

Afin de ne pas nuire à ce processus de guérison qui vise la globalité de l'être humain lorsqu'un individu présente des symptômes dépressifs sans idées suicidaires, il serait donc souhaitable, selon l'auteur, d'élargir la signification des mots *symptôme*, *maladie*, *guérison* et *santé*[1] dans ce genre de circonstances.

Ainsi, considérer que les symptômes dépressifs s'inscrivent dans la phase de survie non aiguë semble justement être la raison pour laquelle les antidépresseurs sont beaucoup trop souvent prescrits. L'auteur est donc en désaccord, car cela ne ferait que consolider

---

1  L'élargissement de la signification des mots *symptôme*, *maladie*, *guérison* et *santé* est abordé au chapitre IV.

l'approche actuelle de la médecine moderne qui vise à traiter les symptômes psychologiques de surface, sans considérer que derrière, il y a des émotions lourdes[1] en cause et aussi des blocages énergétiques au niveau de certains organes.

Cette phase de survie non aiguë sur le plan psychologique se veut ainsi une zone conflictuelle entre l'approche de la médecine moderne et une approche plus globale de l'être humain qui fait intervenir des notions de conscience. L'un dit oui à la prescription des antidépresseurs et l'autre dit non. C'est donc là où s'affrontent deux modes de pensée, soit l'un guidé par le rationnel et l'autre par les différentes composantes de l'être humain. C'est pour cette raison que la médecine moderne classe les symptômes dépressifs sans idées suicidaires ou homicidaires dans cette catégorie avec comme indication de prescrire des antidépresseurs et que, d'un autre côté, l'auteur n'y va pas de la même recommandation.

C'est en ajoutant des notions de conscience à la relation thérapeutique entre le médecin et son patient que le corps médical en viendra un jour à ne réserver la prescription d'antidépresseurs qu'à des patients se trouvant dans la phase de survie aiguë. À l'heure actuelle, il se trouve dans l'approche rationnelle de la médecine moderne trop d'ignorance quant aux différentes composantes de l'être humain pour qu'il en soit ainsi.

Le monde médical actuel et l'ensemble de la population auraient donc avantage à mieux connaître d'autres approches qui peuvent être tout aussi efficaces et qui favorisent une plus grande autonomie de chacun vis-à-vis de sa propre santé physique et psychologique, telles que l'acupuncture, le yoga et le Tai Chi.

Ainsi, la seule indication pour l'utilisation des antidépresseurs et des anxiolytiques est, selon l'auteur, lorsqu'il y a urgence psychiatrique, c'est-à-dire lorsqu'un individu présente des symptômes dépressifs avec des idées suicidaires ou homicidaires, ou qu'il présente une anxiété excessive (trouble panique ou insomnie sévère). Le reste, que ce soit des symptômes dépressifs sans idées suicidaires ou de l'insomnie légère à modérée, peut très bien se traiter autrement par d'autres approches qui apprennent au patient à mieux identifier les émotions lourdes en cause et à les transformer, à la condition que le médecin et le patient se montrent ouverts à de telles approches. Dans un tel cas, il est bien sûr nécessaire que le médecin rappelle au patient que si les symptômes dépressifs ou l'anxiété s'aggravent, il doit consulter à nouveau pour évaluer le besoin de prescrire ou non des médicaments.

Il semble donc impératif que la médecine moderne adopte des comportements et des attitudes qui visent à diminuer la consommation des antidépresseurs et des anxiolytiques,

---

1 Émotions lourdes = tristesse, colère, culpabilité, honte…

car sinon, au rythme où vont les choses, la société québécoise risque d'être, tout comme le restant de l'Occident, dans un profond marasme collectif où un pourcentage de plus en plus important de la population devient accro à ce genre de médicaments.

À l'heure actuelle, ce ne sont pas seulement des individus qui souffrent de dépression, mais bien une population entière qui se voit de plus en plus dépressive. Ne serait-ce pas là un malaise évident d'une société qui se cherche et qui se trouve dans un état de perdition? Ne serait-ce pas le signe que la médecine moderne se trouve dans une déviance profonde en appliquant son approche en dehors de sa spécificité? Ne serait-ce pas le signe que la médecine moderne, en tant que pivot central du système de santé, est actuellement incapable d'assumer seule ce rôle et de faire en sorte que la collectivité se porte bien psychiquement?

### 3.4.4 : LES EFFETS SUR LES ÉMOTIONS LOURDES ET LES PEURS

Au-delà d'une possible diminution de certains symptômes psychologiques, les antidépresseurs et les anxiolytiques semblent agir également au niveau des émotions lourdes et des peurs qui sont en lien avec ces mêmes symptômes. Leur action aurait tendance à endormir et à anesthésier les émotions et les peurs en les refoulant encore plus loin dans l'inconscient de l'individu, même si au départ, ils ont pour objectif de traiter une détresse intérieure.

Les antidépresseurs et les anxiolytiques, en dehors de la spécificité de la médecine moderne, semblent ainsi n'offrir qu'un traitement de surface et auraient même tendance à nuire au processus évolutif de l'individu en refoulant les émotions et les peurs qui demandent à être transformées et qui se veulent une partie intégrante d'un mouvement de guérison sur le plan émotif.

L'explication proviendrait du fait que les parcelles de Vie contenues dans les émotions lourdes et les peurs seraient également refoulées et même écrasées, et ce par le geste d'avaler ces pilules. En quelque sorte, il s'agirait d'une nuisance qui irait jusqu'à produire une coupure avec une énergie créatrice. Cela est illustré au schéma 3.2 (voir page suivante).

Les antidépresseurs et les anxiolytiques auraient ainsi tendance à rejeter encore plus loin dans l'inconscient la tristesse et la parcelle de Vie qu'elle contient. Cela voudrait dire qu'en refoulant l'ombre, ils refouleraient aussi la Lumière. Au lieu de favoriser un mouvement de transformation, ces médicaments maintiendraient donc dans l'oubli les émotions lourdes et les peurs. La tristesse et l'anxiété qui désiraient voir le jour se buteraient alors à un obstacle.

antidépresseurs et anxiolytiques

↓

traitement des symptômes dépressifs et de l'anxiété en dehors de la spécificité
de la médecine moderne, i.e. chez des individus qui ne sont pas
en phase de survie aiguë sur le plan psychologique

↓

refoulement des émotions lourdes dans l'inconscient de l'individu

↓

refoulement des parcelles de Vie que contiennent les émotions lourdes
dans l'inconscient de l'individu

↓

perte de contact avec les parcelles de Vie que contiennent les émotions lourdes

↓

coupure avec une énergie créatrice de Vie

**Schéma 3.2 :** Les principaux effets des antidépresseurs et des anxiolytiques
sur les émotions lourdes et les peurs

C'est dans ce sens que la médecine moderne peut nuire au potentiel de Vie lorsqu'elle agit en dehors de sa spécificité, c'est-à-dire lorsqu'elle traite des individus qui ne sont pas en phase de survie aiguë sur le plan psychologique.

De plus, comme les antidépresseurs et les anxiolytiques sont largement prescrits chez les personnes âgées, ne serait-ce pas une tendance à vouloir oublier la mort et l'anxiété sous-jacente? Ne serait-ce pas le reflet d'une médecine et d'une société ne comprenant pas le mystère de la mort?

Par le biais de cette médication, l'étincelle de Vie contenue dans les peurs de mourir serait ainsi refoulée. La médecine moderne poserait ainsi des gestes qui iraient à l'encontre d'un mouvement de conscience parce qu'elle serait actuellement sous l'influence d'un grand courant de déconnexion. Elle ne sait être armée devant la peur de la mort que par des médicaments, ce qui est bien peu comparativement à tout le Savoir transmis par les traditions ancestrales (Tibétains, Taoïstes, Amérindiens…).

En prescrivant ces médicaments, il semble ainsi que le médecin pourrait nuire au potentiel de Vie en refoulant la tristesse et l'anxiété de son patient encore plus profondément dans l'inconscient. Il serait alors plus difficile de parvenir à une guérison émotive.

### 3.4.5 : LES EFFETS SUR LA VITALITÉ DU CORPS PHYSIQUE

De par les perturbations sur les émotions lourdes et les peurs qu'ils entraînent, les antidépresseurs et les anxiolytiques auraient aussi un effet sur la vitalité du corps physique. Cela est illustré au schéma 3.3.

antidépresseurs et anxiolitiques
↓
traitement des symptômes dépressifs et de l'anxiété en dehors de la spécificité
de la médecine moderne, i.e. chez des individus qui ne sont pas
en phase de survie aiguë sur le plan psychologique
↓
coupure avec une énergie créatrice de Vie[1]
↓
diminution de l'apport d'énergie universelle (Chi) au corps physique
↓
diminution de l'apport d'énergie universelle (Chi) aux organes et aux glandes
↓
baisse des réserves d'énergie vitale (Jing)
↓
baisse de la vitalité du corps physique

**Schéma 3.3 :** Les effets des antidépresseurs et des anxiolytiques
sur la vitalité du corps physique

Le schéma précédent démontre que le traitement par les antidépresseurs et les anxiolytiques éloigne le corps physique d'une plus grande vitalité. Ces médicaments semblent donc favoriser un mouvement qui diminue l'apport d'énergie universelle (Chi) aux organes lorsqu'ils sont employés en dehors de la spécificité de la médecine moderne.

---

1 Tel que vu dans le schéma 3.2, l'utilisation des antidépresseurs et des anxiolytiques semble produire une coupure avec une énergie créatrice de Vie sur le plan psychologique. Comme le psychisme et le corps physique sont intimement liés, l'auteur présume dans le schéma 3.3 qu'il se produit le même phénomène au niveau physique.

En d'autres termes, lorsqu'ils sont prescrits chez des individus qui ne sont pas en phase de survie aiguë sur le plan psychologique, les antidépresseurs et les anxiolytiques auraient tendance à provoquer une baisse de la vitalité du corps physique, ce qui rendrait les individus plus susceptibles de développer d'autres problèmes de santé.

### 3.4.6 : LES EFFETS SUR LA CONSCIENCE

De par le lien intime qui existe entre le corps, les émotions et la conscience d'un individu (corps-cœur-esprit), il semble exister un effet miroir chez ces différentes composantes de l'être humain, c'est-à-dire qu'un changement chez l'un produirait un effet similaire chez les autres. Dans ce sens, si les antidépresseurs et les anxiolytiques éloignent le corps physique d'une plus grande vitalité en le coupant des énergies universelles (Chi), il semble se produire un mouvement similaire au niveau de la conscience de l'individu, c'est-à-dire que ce dernier se voit alors davantage éloigné de sa propre conscience. Cela est illustré au schéma 3.4.

antidépresseurs et anxiolytiques

↓

traitement des symptômes dépressifs et de l'anxiété en dehors de la spécificité de la médecine moderne, i.e. chez des individus qui ne sont pas en phase de survie aiguë sur le plan psychologique

↓

coupure avec une énergie créatrice de Vie

↓

diminution de l'apport d'énergie universelle (Chi) au corps physique

↓

éloignement du corps d'une plus grande vitalité

↓

accentuation de la coupure entre le corps et la conscience de l'individu

↓

moins grande accessibilité au langage de sa propre conscience

↓

déconnexion avec sa propre conscience

**Schéma 3.4 :** Les effets des antidépresseurs et des anxiolytiques
sur la conscience des individus

Selon l'auteur, lorsqu'un individu manifeste des symptômes dépressifs ou anxieux, et qu'il ne se trouve pas en phase de survie aiguë sur le plan psychologique, l'utilisation des antidépresseurs ou des anxiolytiques n'est donc pas recommandée car cela semble entraîner une coupure avec les énergies universelles (Chi), et ce autant pour le corps que pour la conscience.

Sur le plan individuel, ces médicaments iraient ainsi jusqu'à accentuer une coupure avec sa propre conscience, alors que sur le plan collectif, ils iraient même jusqu'à faire en sorte qu'un ensemble d'individus alimente un état de perdition et une confusion existentielle.

## 3.5 : LES MÉDICAMENTS POUR LE TRAITEMENT DE LA DYSFONCTION ÉRECTILE

Les médicaments utilisés pour le traitement de la dysfonction érectile chez l'homme sont aussi régulièrement prescrits. Certaines compagnies pharmaceutiques injectent d'importantes sommes dans leur publicité.

Par ailleurs, les enseignements taoïstes et tantriques sont très clairs sur une chose : ils disent que l'éjaculation représente une perte considérable d'énergie et que cela contribue à affaiblir la santé physique. Ils prétendent également qu'il est possible, autant pour l'homme que pour la femme, de développer une sexualité qui permet de transformer les pulsions et les désirs afin d'en récolter une énergie subtile servant à nourrir le corps et le psychisme.

*« Un homme possède des millions de spermatozoïdes et la femme des centaines de milliers d'ovules, donc une capacité phénoménale de reproduction. Si rien n'est fait pour conserver cette énergie, elle est simplement perdue. Pour les Taoïstes, eux qui ont pour but d'atteindre la longévité et l'immortalité grâce à la transformation des abondantes réserves d'énergie du corps, la perte des riches réserves individuelles est un énorme gâchis. »*

Mantak Chia, *Éveillez l'énergie curative du Tao*

*« De fréquentes éjaculations finissent par produire l'effondrement de la vitalité... Quand les sécrétions hormonales des glandes sexuelles sont régulièrement extraites du corps, celui-ci est sapé à sa racine. En une période de temps qui peut s'étendre de quelques mois à des décennies, suivant le capital de l'individu, les capacités sexuelles et créatives sont épuisées, et l'aptitude à résister aux maladies et aux faiblesses de l'âge se trouve diminuée. »*

Mantak Chia, *Les secrets taoïstes de l'amour*

Les enseignements taoïstes disent ainsi que l'éjaculation contribue à la perte d'une importante dose d'énergie vitale (Jing) chez l'individu. Il est aussi connu en acupuncture que la dysfonction érectile est en lien avec une baisse d'énergie au niveau des reins.

Que se passe-t-il donc vraiment lorsqu'un individu prend un médicament qui favorise une érection et qu'il éjacule? Il semble que cette médication ne fait, au bout du compte, qu'accentuer la baisse des réserves d'énergie vitale et ainsi augmenter les probabilités de développer des problèmes physiques. Cela est illustré au schéma 3.5.

médicaments utilisés pour le traitement de la dysfonction érectile

↓

éjaculation

↓

baisse d'énergie au niveau des reins

↓

baisse des réserves d'énergie vitale (Jing)

↓

accélération du processus de vieillissement

↓

risque accru de développer des dysfonctions organiques et des maladies

**Schéma 3.5 :** Les principaux effets aux niveaux physique et énergétique des médicaments utilisés pour le traitement de la dysfonction érectile

Comme les médicaments utilisés pour le traitement de la dysfonction érectile encouragent l'éjaculation, ils ne font qu'augmenter la dépense énergétique par la non-préservation de la semence (sperme). Ils accélèrent ainsi le vieillissement corporel et rapprochent l'individu de sa propre mort.

Même si cette médication permet de soulager un symptôme apparent qui est celui d'une dysfonction érectile, elle s'avère donc destructrice sur le plan énergétique. C'est un des exemples les plus frappants qui met en évidence la différence entre la logique de la médecine moderne et la logique de la médecine traditionnelle chinoise, et surtout l'aspect néfaste d'avoir mis sur le marché ce genre de médication qui ne rapporte, en fin de compte, que financièrement aux compagnies pharmaceutiques.

De plus, au niveau de la conscience des individus, ces médicaments semblent plutôt en accentuer la coupure, c'est-à-dire qu'ils entraînent une plus grande déconnexion avec la composante subtile de l'être humain. Cela est illustré au schéma 3.6.

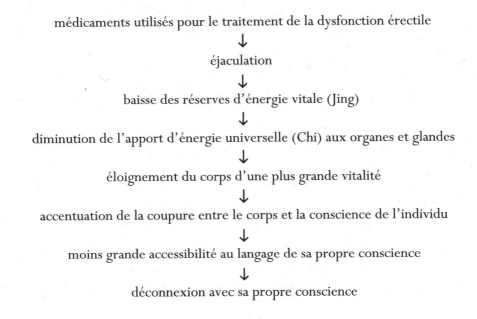

médicaments utilisés pour le traitement de la dysfonction érectile

↓

éjaculation

↓

baisse des réserves d'énergie vitale (Jing)

↓

diminution de l'apport d'énergie universelle (Chi) aux organes et glandes

↓

éloignement du corps d'une plus grande vitalité

↓

accentuation de la coupure entre le corps et la conscience de l'individu

↓

moins grande accessibilité au langage de sa propre conscience

↓

déconnexion avec sa propre conscience

**Schéma 3.6 :** Les effets des médicaments utilisés pour le traitement de la dysfonction érectile sur la conscience des individus

Ainsi, un médecin qui prescrit des médicaments pour contrer la dysfonction érectile ne fait que contribuer à l'éjaculation de son patient et à une perte de la précieuse semence. Par conséquent, il encourage une forme d'éclatement qui provoque une perte d'énergie vitale (Jing) et qui nourrit également une coupure avec la conscience de l'individu.

Contribuer à l'éjaculation d'un patient va donc à l'encontre des enseignements tantriques sur la gestion et la transformation des énergies sexuelles. Comment alors prétendre que la médecine moderne se trouve dans un mouvement de Vie lorsqu'un tel traitement entraîne une perte d'énergie vitale (Jing) chez l'individu, accélérant ainsi son processus de vieillissement?

Utiliser ces médicaments ne fait donc que rapprocher l'individu de sa propre mort. Cela témoigne d'une ignorance profonde que véhicule actuellement la médecine moderne, soit celle que l'être humain est bien plus qu'un corps physique et qu'il possède d'autres composantes (émotive, psychologique, énergétique et spirituelle).

C'est la déconnexion de la médecine moderne avec la globalité de l'être humain qui fait que de tels gestes dépourvus de conscience sont posés. La science médicale tente alors d'appliquer une approche de survie en dehors de sa spécificité. La dysfonction érectile est-elle une urgence physique qui met la vie du patient en danger? La réponse est non. Le traitement prescrit ne fait alors que favoriser une forme de destruction, faisant en sorte que la médecine moderne s'ingère sur un Territoire qui n'est pas de son expertise.

C'est ainsi que la médication utilisée pour la dysfonction érectile nuit au potentiel de Vie, car elle éloigne le corps d'une plus grande vitalité en entraînant la baisse de son énergie vitale (Jing). Si de tels médicaments ont vu le jour, c'est que la médecine moderne et le système de santé québécois se trouvent dans un mouvement éjaculatoire, c'est-à-dire dans un mouvement de dispersion des énergies vitales causé par un manque d'intégration des enseignements taoïstes et tantriques.

Une société qui se trouve vraiment dans une phase de réunification n'a nullement besoin de ce genre de médicament. Elle favorise plutôt le phénomène injaculatoire[1], ce qui est bien différent du mouvement dispersif encouragé actuellement par le monde pharmaceutique et médical pour la perte de la semence.

---

1 L'injaculation est le mouvement inverse de l'éjaculation, c'est-à-dire un mouvement qui permet de garder à l'intérieur de soi l'énergie de la semence (sperme) et l'énergie de Fertilité des ovaires. Elle vise à nourrir le corps et la conscience de l'individu.

# CHAPITRE IV

## DES PISTES DE SOLUTION

Dans ce chapitre, il est abordé des pistes de solutions aux malaises et problèmes qui sévissent actuellement dans le système de santé québécois.

Il importe au départ de bien situer la spécificité de la médecine moderne pour percevoir plus clairement la place qui lui revient. En dehors de cette spécificité, une vision élargie semble être nécessaire afin d'aborder les symptômes physiques et psychologiques dans une perspective de globalité.

## 4.1 : LES SOINS INTÉGRÉS DANS LE MILIEU HOSPITALIER

*« Imaginez un monde où les médecins croient à la capacité naturelle de guérison de l'être humain et où ils insistent sur la prévention au lieu d'insister sur le traitement. »*

Andrew Weil, M.D. (http://www.mcim.ca/fr/integrative-medicine/)

Aux États-Unis, il y a actuellement un mouvement qui commence à s'implanter et qui est appelé « médecine intégrative » (*integrative medicine*). Il s'agit d'une médecine axée sur la guérison des différentes composantes de l'être humain (physique, émotive, psychologique, énergétique et spirituelle). Elle vise ainsi la globalité des individus, en incluant tous les aspects de leur vie. Plusieurs approches thérapeutiques sont offertes dans un même centre de santé, dont la médecine moderne, l'acupuncture, l'ostéopathie, la chiropractie, la naturopathie, la massothérapie et la psychologie.

Ce qui semble entre autres mis de l'avant dans ce mouvement, c'est l'approche complémentaire entre la médecine moderne et l'acupuncture afin que les soins de santé soient optimaux. C'est une approche *corps-cœur-esprit*, comme certains le diront.

La médecine intégrative vise donc à ne pas seulement traiter les symptômes physiques, mais aussi la composante émotive et énergétique des désordres corporels. Pour ce faire, les médecins et thérapeutes se doivent d'avoir une ouverture sur d'autres approches que la leur afin de permettre aux patients une meilleure compréhension et résolution de leurs symptômes.

Au Québec, pour que la médecine intégrative puisse être vraiment implantée, il est donc nécessaire que le clivage entre chaque profession s'estompe pour offrir le meilleur service possible. Cela signifie que l'ego médical actuel aurait avantage à s'amincir et à perdre de sa rigidité pour ainsi intégrer davantage d'autres approches, dont l'acupuncture, qui peut être tout aussi efficace pour le traitement de plusieurs pathologies et qui aborde les symptômes dans une optique de globalité.

Aux États-Unis, à certains endroits, la médecine intégrative commence également à s'implanter dans les centres hospitaliers. L'acupuncture et d'autres approches se retrouvent donc, au même titre que la médecine moderne, comme étant des éléments très actifs dans les soins apportés aux patients.

En France, l'assistance publique des hôpitaux de Paris a décidé d'introduire une vingtaine d'approches complémentaires dans ses hôpitaux, dont un tiers en médecine traditionnelle chinoise[1].

*« C'est vraiment une ouverture très grande sur une médecine tout à fait différente, totalement empirique, mais qui a fait ses preuves. Il ne s'agit pas de remplacer nos traitements par d'autres traitements. Il s'agit de les compléter. »*

Dre Catherine Viens-Bitker
Chef de missions « médecines complémentaires »
Assistance publique des hôpitaux de Paris

Le Québec accuse ainsi un énorme retard à ce niveau, car à l'heure actuelle, le milieu hospitalier offre principalement des services médicaux, mis à part la physiothérapie, l'ergothérapie, l'inhalothérapie, la psychologie et les services en travail social[2].

Il est donc souhaitable que des mesures soient prises, autant par le gouvernement que par les autorités médicales, pour offrir des soins intégrés dans le milieu hospitalier. Il s'agit là d'une clef importante, selon l'auteur, qui permettrait d'offrir des soins optimaux à la population et peut-être de favoriser un certain désengorgement des urgences.

Un système de santé dont le pivot central est la médecine moderne est un système de santé qui traite principalement les symptômes physiques, et non pas nécessairement la composante émotive et énergétique des maladies. Il s'agit donc d'un système de santé qui ne fait qu'éteindre des feux, sans pour autant prendre en considération le terrain de la maladie et la globalité de la personne.

En allant plus en profondeur dans le traitement des symptômes physiques, la médecine intégrative diminue les chances de récidive de ces mêmes symptômes, et favorise ainsi une meilleure prévention de la maladie. À l'heure actuelle, si les urgences débordent, c'est qu'une masse de gens ont attendu que des symptômes physiques s'aggravent pour consulter

---

1 Selon la vidéo « La médecine chinoise dans les hôpitaux » http://youtu.be/W8d2hGmmBmM.
2 Les seules exceptions connues de l'auteur sont l'hôpital de LaSalle, où l'acupuncture est utilisée en obstétrique, et l'hôpital Maisonneuve-Rosemont, où Dr Christian Boukaram a mis en place une approche intégrative dans le service d'oncologie.

un médecin. Mais si ces gens avaient eu une meilleure connaissance de la composante émotive et énergétique de la maladie, ce que l'acupuncture peut enseigner, cela aurait pu permettre de diminuer l'achalandage.

En d'autres termes, l'implantation de la médecine intégrative dans les cliniques et les hôpitaux favoriserait un traitement plus en profondeur des symptômes physiques et une meilleure éducation auprès de la population pour qu'elle soit davantage autonome vis-à-vis de sa propre santé. Le système de santé québécois aurait donc avantage à aller dans cette direction, autant pour le bien-être de la collectivité que pour diminuer ses frais d'exploitation.

### 4.1.1 : L'ACUPUNCTURE

*« La médecine occidentale sauve, la médecine orientale guérit! »*

Dre Anita Bui, anesthésiste et acupunctrice, France

L'acupuncture est une des branches de la médecine traditionnelle chinoise, basée sur l'implantation et la manipulation de fines aiguilles en divers points du corps à des fins thérapeutiques. Elle permet de traiter et de prévenir des maladies depuis plus de 5000 ans.

L'acupuncture traditionnelle développe son raisonnement diagnostic et thérapeutique en se fondant sur une vision taoïste de l'homme et de l'univers. Elle considère que le corps physique possède des trames énergétiques, appelées *méridiens*, qui permettent au Chi[1] de circuler et d'alimenter les organes. Quand l'équilibre énergétique est perturbé, il peut alors se manifester des symptômes et des maladies. L'acupuncture agit ainsi en tentant de corriger le déséquilibre et en permettant de rétablir le flot de Chi.

### Où en est la science moderne

À l'émission de télévision *Une pilule, une petite granule*, publiée sur le Web[2] le 14 février 2013, M. Serge Marchand, neurophysiologiste et chercheur à l'Université de Sherbrooke, donnait un excellent aperçu des avancées de la science moderne concernant l'acupuncture :

*« Il y a beaucoup d'études qui ont montré que si vous traitez des maux de tête, des maux de dos ou différents problèmes de douleurs chroniques, cela va être plus efficace que de ne pas donner de traitement. Là où c'est plus complexe, c'est quand on veut comprendre comment cela fonctionne. Vous savez, quand on entre une aiguille dans la peau, on fait beaucoup*

---

1  Chi = énergie
2  http://video.telequebec.tv/video/14374/acupuncture

de choses. Premièrement, on traverse la peau et on va recruter des fibres nerveuses. Il y a aussi des enveloppes sur les muscles que l'on appelle les fascias, et qui sont sur de très grands territoires. Alors quand on entre les aiguilles et qu'on les tourne, on bouge ces fascias, ce qui envoie des impulsions ou des informations dans le système nerveux.

Si vous considérez maintenant le système nerveux autonome, entre autres la pression artérielle et le rythme cardiaque, en faisant une stimulation par aiguille, on va aussi jouer sur ce système-là. Après, il y a plein de théories, il y a plein d'études publiées qui disent que le système immunitaire semble être affecté. On touche ainsi à beaucoup de phénomènes en tant que tels. C'est donc difficile d'isoler qu'est-ce qui fait que l'acupuncture est efficace pour un problème "x" ou "y" ».

Ce qui semble cependant bien connu de la science moderne est que lorsque l'on provoque une douleur localisée sur une zone du corps humain, il est possible de déclencher dans le système nerveux une réaction d'inhibition à la douleur. Il se relâche alors plusieurs neurotransmetteurs, dont la sérotonine, la noradrénaline et les endorphines, ce qui peut avoir un effet calmant sur des régions douloureuses.

Pour ce qui est des méridiens, la science médicale est actuellement incapable d'en prouver l'existence. À ce sujet, M. Serge Marchand ajoutait ce qui suit :

« Les méridiens, on ne les a jamais vus, on n'est pas capable de les mesurer, anatomiquement on n'en trouve pas. Si on dissèque un cadavre, on ne voit pas de méridiens. On va donc parler de territoires nerveux, et aussi d'organisation au niveau des vaisseaux. Dans les années 1980, il y a eu une première étude où un chercheur a décidé de vérifier chaque fois que l'on a un point d'acupuncture sur un méridien, cela ressemble à quoi anatomiquement. Il a retrouvé des territoires nerveux, des densités nerveuses un peu plus élevées. Il y avait une corrélation de 80 % avec ce que l'on appelle les zones gâchettes, ces endroits que l'on trouve sur un muscle et que l'on appuie dessus et que c'est un peu plus douloureux qu'à côté. Les méridiens, c'est le fil que l'on fait pour rejoindre ces différentes zones gâchettes. Cela reste très hypothétique, mais c'est une des explications possibles. »

Des études

« Si l'on observe la littérature disponible actuellement par rapport à toutes les études qui ont été faites, il est hors de tout doute que l'acupuncture a une action très nette sur la gestion des douleurs : les tendinites, les bursites, les processus inflammatoires… Il y a aussi une autre catégorie de problèmes qui sont bien adressés par l'acupuncture, notamment les problèmes digestifs et les problèmes gynécologiques. »

Michel Jodoin, acupuncteur
Émission de télévision *Une pilule, une petite granule*, février 2013

L'auteur mentionne ici-bas des études intéressantes provenant de la revue *Acupuncture & Moxibustion*[1], qui est une revue française de médecine traditionnelle chinoise. Il est à noter qu'en France, tous les acupuncteurs sont d'abord médecins. Les articles qui suivent ont donc été écrits par des médecins-acupuncteurs, qui ont une base solide au niveau scientifique.

— *L'acupuncture autour de la naissance : analgésie durant l'accouchement.* Dr Jean-Marc Stéphan, janvier-février-mars 2010.

Cet article mentionne, entre autres, qu'une des grandes indications de l'acupuncture est l'analgésie.

— *Revue systématique : l'acupuncture apparaît efficace dans les lombalgies et douleurs pelviennes de la grossesse*, avril-mai-juin 2010.

Les auteurs ont conclu à l'efficacité de l'acupuncture, avec un niveau de preuve modéré, dans le syndrome douloureux pelvien de la grossesse (SDPG) et les lombalgies de la grossesse.

— *Acupuncture en gynéco-obstétrique : état des revues systématiques et méta-analyses.* Dr Olivier Goret et Dr Johan Nguyen, juillet-août-septembre 2010.

Il est notamment question dans cet article des problèmes gynécologiques et obstétriques suivants : syndrome prémenstruel, dysménorrhées, nausées et vomissements lors de grossesse, douleurs pelviennes de la grossesse, induction et douleurs du travail, bouffées de chaleur de la ménopause. Les auteurs ont conclu ceci :

« *Comme dans le domaine de la rhumatologie et de la neuro-psychiatrie, nous faisons le constat en gynécologie et en obstétrique d'un élargissement du champ des indications de l'acupuncture associé à une élévation du niveau de preuve.* »

— *La lombalgie aiguë en acupuncture*, Dr Robert Hawawini, octobre-novembre-décembre 2011.

Il est mentionné dans cet article que la lombalgie aiguë se traite bien par acupuncture et que les formules thérapeutiques sont nombreuses.

— *L'acupuncture est efficace dans la gonarthrose : revue méthodique de la littérature*, Dr Benoit Bourre, juillet-août-septembre 2011.

Selon cette revue de la littérature, les méta-analyses mettent en évidence de manière homogène une supériorité de l'acupuncture par rapport au traitement standard par AINS[2].

---

1 www.meridiens.org/acuMoxi
2 AINS = anti-inflammatoire non stéroïdien

L'auteur, Dr Benoit Bourre, mentionne que l'acupuncture permettrait de diminuer la douleur liée à la gonarthrose et d'améliorer la fonction articulaire. Elle serait donc, selon lui, à recommander dans le traitement de cette pathologie et aurait toute sa légitimité dans les recommandations officielles.

— *Méta-analyse : l'acupuncture est supérieure à l'acupuncture factice dans le traitement de la douleur post-opératoire*, Dr Olivier Goret, Dr Johan Nguyen, octobre-novembre-décembre 2011.

Cette étude visait à évaluer l'intérêt de l'acupuncture dans la prise en charge des douleurs post-opératoires chez des patients ayant subi différentes opérations (chirurgie abdominale, hystérectomie, hémorroïdectomie, arthroplastie de la hanche, thoracotomie et arthroscopie du genou).

Les résultats indiquent que l'acupuncture réduit la consommation d'analgésiques opioïdes et les effets secondaires de ces médicaments. La conclusion est que l'acupuncture apparaît utile dans la prise en charge de la douleur en post-opératoire.

N'y aurait-il pas là un intérêt pour le milieu hospitalier, soit celui d'intégrer à la médecine moderne une autre façon de traiter la douleur en post-opératoire, et surtout de diminuer la consommation de narcotiques et leurs effets secondaires?

— *Action aiguë et chronique de l'acupuncture sur l'hémodynamique de l'artère radiale chez le patient migraineux*, Dr Pierre Boutouyrie, Dr Robert Corvisier, Dr Kim-Than Ong, Dr Claire Vulser, Dr Catherine Lassalle, Dr Michel Azizi, Dr Brigitte Laloux, Pr Stéphane Laurent, avril-mai-juin 2010.

Il est mentionné dans cet article que l'acupuncture est un traitement accepté pour la migraine.

— *Hypertension artérielle et acupuncture : à propos d'une observation*, Dr Jean-Marc Stéphan, juillet-août-septembre 2010.

Cette étude concluait que l'on ne peut pas préconiser l'acupuncture en monothérapie pour les patients atteints d'hypertension artérielle, mais on ne manque pas de preuves maintenant pour considérer sa place utile et efficace en adjonction à la thérapeutique usuelle.

— *Acupuncture dans le traitement du syndrome de Ménière : revue de la littérature*, Dr Olivier Goret, avril-mai-juin 2010.

Cette revue de la littérature visait à établir un niveau de preuve sur l'efficacité de l'acupuncture dans le traitement du syndrome de Ménière. Ce dernier est une affection de l'oreille interne et se manifeste par des vertiges, des nausées, des vomissements, des bourdonnements et une certaine perte de l'audition. Les résultats de l'ensemble des essais tendent à montrer un effet bénéfique de l'acupuncture.

— *Méta-analyse : l'acupuncture apparaît efficace dans les insomnies*, avril-mai-juin 2010.

Cette étude mentionnait que toutes les publications vont dans le même sens et suggèrent une efficacité de l'acupuncture dans les cas d'insomnie.

— *Obésités graves et acupuncture*, Dr Ahmed Hamid Brahimi, avril-mai-juin 2011.

Cette analyse portait sur des patients souffrant d'obésité grave et a bien mis en évidence le rôle positif de l'acupuncture par comparaison à d'autres études où cette dernière n'était pas utilisée. Il était indiqué que, en plus de son rôle régulateur du métabolisme, l'acupuncture réduirait la faim et calmerait le stress. L'auteur de cette analyse a également conclu ceci :

« *Ces premiers résultats, bien que très encourageants, nécessitent d'être validés par d'autres études similaires. L'acupuncture constitue une voie de recherche à ne pas négliger et une alternative qu'on aurait tort d'ignorer.* »

— *Traitement par Acupuncture du syndrome mains-pieds chez les patients sous chimiothérapie*, Dr Philippe Jeannin, avril-mai-juin 2010.

Ce syndrome se manifeste par des paresthésies très douloureuses sous forme de picotements violents ou de brûlures des extrémités, modifiant la préhension des objets ou la marche. La conclusion était que seule l'acupuncture enraye un tel effet secondaire et optimise ainsi les chances de rémission, voire de guérison de patients sous chimiothérapie.

« *Tout cela est extrêmement encourageant et précise notre place dans l'équipe pluridisciplinaire chargée de traiter un patient cancéreux. Au quotidien, nous avons à affronter l'incrédulité ou la sous-évaluation de nos résultats par certains oncologues. Il faut que nous soyons de plus en plus nombreux à afficher de tels résultats afin que l'acupuncture soit totalement reconnue et intégrée dans la prise en charge des effets secondaires des chimiothérapies. Nous espérons qu'un essai contrôlé randomisé de haute qualité méthodologique puisse voir le jour afin de confirmer les résultats que nous observons depuis de longues années.* »

Dr Philippe Jeannin

Aux États-Unis, des recherches ont également été menées. Il faut ici souligner les travaux d'Hélène Langevin, professeure de neurologie à l'Université du Vermont et chercheuse de renommée internationale. Elle est membre-conseil à la *Society for*

*Acupuncture Research*[1] et poursuit depuis plusieurs années des études sur l'acupuncture. Elle a entre autres mis en évidence les effets de l'acupuncture sur les tissus conjonctifs, éclairant ainsi les méthodes traditionnelles de manipulation des aiguilles. À ce sujet, elle a publié l'article *Evidence of connective tissue involvement in acupuncture*[2], qui concluait ceci :

*« Au cours des 30 dernières années, une hypothèse générale de la recherche en acupuncture était que les effets de l'acupuncture survenaient essentiellement dans le système nerveux. Cette étude, en fournissant des preuves de l'implication du tissu sous-cutané dans la manipulation des aiguilles, suggère que le mécanisme d'action de l'acupuncture implique également les tissus extraneuraux et ouvre la voie à de nouvelles recherches au niveau des effets cellulaires et moléculaires locaux de la manipulation des aiguilles en acupuncture. »*

De plus, selon des données publiées en 2003, l'Organisation Mondiale de la Santé (OMS) reconnaît les bienfaits de l'acupuncture. Elle mentionne entre autres sur son site Web[3] les maladies ou troubles pour lesquels la thérapie par acupuncture a été testée dans des essais cliniques contrôlés :

1. Maladies, symptômes ou états pour lesquels l'acupuncture s'est avérée un traitement efficace selon des essais contrôlés :

   — Effets indésirables de la radiothérapie ou de la chimiothérapie
   — Rhinite allergique (incluant la fièvre des foins)
   — Colique biliaire
   — Dépression
   — Dysenterie bacillaire aiguë
   — Dysménorrhée primaire
   — Gastrites aiguës et chroniques, ulcères gastroduodénaux et spasmes gastriques
   — Douleur faciale (incluant les troubles craniomandibulaires)
   — Hypertension artérielle essentielle
   — Hypotension artérielle primaire
   — Déclenchement artificiel du travail
   — Lombalgie
   — Correction de la malposition du fœtus
   — Nausées matinales
   — Cervicalgie
   — Douleurs dentaires

---

1  www.acupunctureresearch.org
2  Traduction : Preuve de l'implication du tissu conjonctif en acupuncture,
   http://www.fasebj.org/content/16/8/872.full
3  http://apps.who.int/medicinedocs/fr/d/Js4926e/5.html

- Périarthrite de l'épaule
- Douleur postopératoire
- Colique rénale
- Arthrite rhumatoïde
- Sciatique
- Entorse
- Accident vasculaire cérébral
- Épicondylite

2. Maladies, symptômes ou états pour lesquels l'effet thérapeutique de l'acupuncture a été démontré, mais pour lesquels plus de preuves sont requises :

- Acné simple
- Dépendance à l'alcool et détoxification
- Paralysie de Bell
- Asthme
- Douleur cancéreuse
- Cholecystite chronique
- Cholélithiase
- Diabète non insulino-dépendant (type II)
- Otalgie
- Epistaxis simple (sans maladie généralisée ni locale)
- Infertilité féminine
- Spasme facial
- Fibromyalgie et fasciite
- Arthrite goutteuse
- Zona
- Hyperlipémie
- Insomnie
- Douleur de l'accouchement
- Dysfonction sexuelle masculine non organique
- Maladie de Ménière
- Névralgie post-herpétique
- Névrodermite
- Obésité
- Dépendance à l'opium, à la cocaïne et à l'héroïne
- Arthrose
- Syndrome des ovaires polykystiques (syndrome de Stein-Leventhal)
- Convalescence post-opératoire
- Syndrome prémenstruel
- Prostatite chronique
- Prurit

– Syndrome de douleur radiculaire et pseudoradiculaire
– Maladie de Raynaud primaire
– Infection récurrente des voies urinaires inférieures
– Dystrophie sympathique réflexe
– Schizophrénie
– Syndrome de Sjögren
– Mal de gorge (incluant amygdalite)
– Dysfonction de l'articulation temporomandibulaire
– Syndrome de Tietze
– Dépendance au tabac
– Syndrome Gilles de la Tourette
– Colite ulcéreuse chronique
– Urolithiase
– Démence vasculaire

3. Maladies, symptômes ou états pour lesquels il n'existe que des essais contrôlés individuels rapportant certains effets thérapeutiques, mais pour lesquels l'acupuncture vaut la peine d'être essayée parce que les traitements conventionnels et autres sont difficiles à appliquer :

– Chloasma
– Daltonisme
– Surdité
– Syndrome du colon irritable
– Vessie neuropathique dans les cas de traumatisme médullaire.

Les limites

Quelles sont les limites de l'acupuncture?

*« De façon générale, l'acupuncture traite les problèmes d'ordre fonctionnel et non d'ordre lésionnel. Les limites se situent lorsqu'interviennent des déséquilibres trop importants au niveau de l'organisme, comme par exemple les cancers et les problèmes d'arthrose. L'acupuncture peut donc aider pour les douleurs d'arthrose, mais ne peut pas faire disparaître l'arthrose. »*

Michel Jodoin, acupuncteur
Émission de télévision *Une pilule, une petite granule*, février 2013

<u>Un modèle</u>

Selon l'auteur, pour favoriser le redressement du système de santé québécois et offrir ainsi des soins optimaux à la population, il serait certes souhaitable que l'acupuncture occupe une place prépondérante au même titre que la médecine moderne, et ce dans un mode de complémentarité, que ce soit dans les centres de santé, les cliniques ou le milieu hospitalier. Cela est illustré au schéma 4.1.

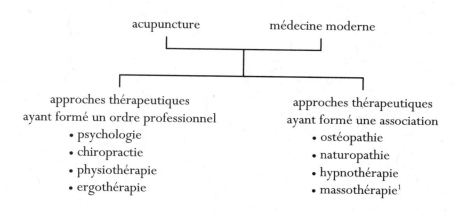

**Schéma 4.1 :** <u>Le modèle d'un système de santé où l'acupuncture et la médecine moderne sont le pivot central</u>

Au Québec, l'acupuncture est actuellement considérée comme une thérapie alternative, ce qui n'est pas le cas dans le modèle précédent. Il s'agit d'une branche de la médecine traditionnelle chinoise qui existait bien avant l'apparition de la science actuelle et qui, selon l'auteur, doit être considérée comme une médecine, au même titre que la médecine moderne.

Tant que l'acupuncture n'est considérée que comme une thérapie alternative, elle tombe au deuxième rang et se veut alors moins considérée et peu valorisée par le corps médical, ce qui la place dans une position d'infériorité.

---

1   La massothérapie au Québec compte plusieurs associations.

Pour qu'elle occupe la place qui lui revient dans un système de santé qui offre la médecine intégrative, elle doit se positionner sur le même pied que la médecine moderne, dans un mode de complémentarité et de partenariat. Elle est autant en mesure d'établir des diagnostics qui lui sont propres, de par son approche énergétique sur les causes profondes des maladies, et d'en établir le traitement approprié, tout comme la médecine moderne établit ses propres diagnostics et ses propres traitements selon sa logique à elle.

Une des difficultés actuellement pour l'acupuncture au Québec est de ne compter que 788 membres[1] inscrits à l'Ordre des acupuncteurs, ce qui s'avère de loin un nombre inférieur aux médecins inscrits au Collège des médecins (9777 médecins généralistes et 10 807 médecins spécialistes[2]). Des mesures favorisant une augmentation importante du nombre d'acupuncteurs au Québec seraient donc souhaitables, à commencer par un nombre plus important d'écoles de formation. Actuellement, seul le Collège de Rosemont, à Montréal, donne le cours d'acupuncture qui accueille une soixantaine de nouveaux étudiants par année.

Une autre difficulté pour l'acupuncture est que la Régie de l'assurance maladie du Québec (RAMQ) ne paie pas l'acupuncteur pour ses consultations, comparativement aux médecins qui, eux, sont payés par l'État. Les gens doivent donc débourser eux-mêmes les frais pour les traitements d'acupuncture, qui peuvent cependant être remboursés par plusieurs compagnies d'assurance. N'empêche qu'il serait souhaitable que les acupuncteurs soient mieux appuyés par l'État afin que la population puisse davantage les consulter.

## 4.1.2 : LA DIMINUTION DE LA DURÉE DE SÉJOUR À L'HÔPITAL

Au Québec, l'acupuncture pourrait être utilisée dans le milieu hospitalier, et ce de façon très sécuritaire. De par ses traitements qui visent la cause énergétique des symptômes, alors que la médecine moderne s'occupe de la cause physique, elle permettrait aux patients de rétablir certains désordres ayant causé la symptomatologie. En combinant ces deux approches, la récupération des patients serait sans doute plus rapide, ce qui entraînerait une durée de séjour plus courte à l'hôpital.

L'étude de Johansson K. et al.[3], qui visait à vérifier l'impact de l'acupuncture sur des patients ayant subi un AVC[4], mentionnait ce qui suit :

---

1  Selon une information reçue de l'Ordre des acupuncteurs du Québec (mars 2013).
2  Selon le site Web du Collège des médecins du Québec (mars 2013).
3  Il s'agit d'une étude provenant de l'article suivant : « Can sensory stimulation improve the functional outcome in stroke patients », revue *Neurology*, 1993.
4  AVC = accident vasculaire cérébral

« ... les sujets du groupe d'acupuncture ont récupéré plus vite et en général à un plus haut degré de mobilité que le groupe de contrôle. Un an après l'AVC, 25 des 28 survivants qui avaient reçu les traitements d'acupuncture vivaient toujours à la maison en comparaison de 21 des 32 sujets du groupe de contrôle. La diminution du temps de séjour dans un centre d'accueil ou de réadaptation a réduit le coût de 26 000 $US/sujet. Le coût moyen pour un sujet recevant l'acupuncture était de 30 000 $ comparativement à 56 000 $ pour un sujet du groupe de contrôle. Malgré des résultats positifs, les auteurs concluent que des études supplémentaires sont nécessaires pour affirmer que la différence entre les deux groupes dépend exclusivement des traitements d'acupuncture. »

Si les patients hospitalisés obtiennent leur congé plus rapidement, il en découle une admission plus rapide pour les patients se trouvant sur des civières à l'urgence. Ainsi, l'implantation de l'acupuncture dans le milieu hospitalier pourrait amener un certain désengorgement des urgences, ce qui permettrait également de diminuer le temps d'attente pour les patients ambulatoires. Il y aurait donc là un élément qui semble important à considérer et qui pourrait améliorer la qualité des soins, en plus d'entraîner une possible baisse des coûts du système de santé.


## 4.1.3 : LES ACTIVITÉS MÉDICALES PARTICULIÈRES (AMP)

Au Québec, chaque médecin généraliste rémunéré par la RAMQ doit effectuer des activités médicales particulières (AMP). Ces dernières consistent à travailler un certain nombre d'heures par trimestre à l'hôpital (urgence, obstétrique, soins de longue durée...) ou dans d'autres activités connexes, selon le nombre d'années de pratique. La loi oblige donc chaque médecin à consacrer le nombre minimal d'heures suivant aux AMP[1] :

- 0 à 15 ans de pratique = 12 heures par semaine, en moyenne, ou 132 heures par trimestre
- 15 à 20 ans de pratique = 6 heures par semaine, en moyenne, ou 66 heures par trimestre
- Plus de 20 ans de pratique = 0 heure (aucune AMP).

Les AMP permettent ainsi aux milieux hospitaliers de s'assurer les services de médecins généralistes pour leur bon fonctionnement, sinon il pourrait y avoir un manque d'effectifs. L'envers de la médaille est qu'actuellement, au Québec, la plupart des médecins généralistes dépassent le temps minimum obligatoire aux AMP pour combler les nombreux besoins, ce qui leur laisse moins de temps pour pratiquer en cabinet et ce qui fait en sorte que l'accès à un médecin de famille est difficile.

---

1   Selon le manuel *Brochure n° 1, Ententes particulières*, site Web www.ramq.gouv.qc.ca

*« Les omnipraticiens consacrent pas moins de 40 % de leurs activités hors de la première ligne, notamment les hôpitaux et les soins de longue durée... »*

Claude Castonguay, *Santé : l'heure des choix*, 2012

Les AMP semblent donc être une cause importante du manque d'accès à un médecin de famille au Québec étant donné la charge de travail qu'elles entraînent. Dans le but d'améliorer les services de santé offerts à la population, il est donc important de cibler des mesures qui favoriseraient une diminution du nombre d'heures consacrées aux AMP.

Selon l'auteur, une des mesures qui pourraient aider en ce sens est justement l'implantation de la médecine intégrative dans le milieu hospitalier. Il est possible que l'ajout des acupuncteurs entraîne une certaine diminution de la tâche des médecins, ce qui pourrait favoriser la baisse d'heures aux AMP afin que ces derniers consacrent davantage de temps à leur pratique en cabinet et qu'ainsi il en résulte un meilleur accès à un médecin de famille pour la population.

La médecine intégrative pourrait donc être la voie qui permettrait de jeter un baume sur le système de santé québécois. Sans cette ouverture, les médecins généralistes auront probablement de la difficulté à diminuer leurs heures d'AMP, ne faisant alors que perpétuer un malaise important, soit celui du manque d'accès à un médecin de famille.

### 4.1.4 : LES PRINCIPAUX OBSTACLES

Selon le modèle de médecine intégrative décrit plus haut, les acupuncteurs pourraient venir en renfort auprès des médecins déjà surchargés afin de créer un meilleur climat de soins dans le milieu hospitalier, sans compter tout l'impact que cela aurait sur la population. Mais jusqu'où les autorités médicales permettront-elles de laisser à d'autres une partie de leur chasse gardée? Il importe bien sûr de mettre en place un cadre sécuritaire afin d'éviter les erreurs médicales et de bien cerner la spécificité de chacune des approches pour offrir une complémentarité dans les soins, mais jusqu'où les autorités médicales se montreront-elles en désaccord en ayant comme argument de vouloir protéger le public alors que c'est plutôt leur structure qu'elles chercheront à protéger?

La venue des acupuncteurs dans le milieu hospitalier entraînerait également le besoin d'augmenter le nombre d'élèves en formation afin de pourvoir les postes disponibles, ce qui augmenterait après un certain temps leur nombre à leur ordre professionnel. Comment les autorités médicales vont-elles réagir à l'idée qu'il y ait un nombre croissant d'acupuncteurs? Auront-elles peur de perdre des acquis?

Et que dire des compagnies pharmaceutiques? Voudront-elles appuyer le mouvement de médecine intégrative ou plutôt tenter de l'écraser? Cette dernière option semble la plus logique car l'insertion d'un plus grand nombre d'acupuncteurs dans le réseau de la santé ne favoriserait en rien la vente de médicaments, bien au contraire. Elle permettrait plutôt d'informer davantage la population sur les causes émotives et énergétiques des maladies, en augmentant ainsi la prévention de ces dernières, ce qui ne peut que faire en sorte que la population consomme de moins en moins de médicaments.

L'autre obstacle majeur à surmonter est le fait que la venue des acupuncteurs dans le milieu hospitalier amènerait d'autres travailleurs dans le giron des hôpitaux, donc une charge financière accrue pour l'État. Jusqu'où le gouvernement voudra-t-il appuyer le mouvement de médecine intégrative dans le contexte budgétaire actuel du Québec, qui consacre 12 % de ses dépenses annuelles au paiement de la dette publique?

## 4.2 : DES MOTS À REDÉFINIR

L'auteur propose de redéfinir certains mots qui, actuellement, sur le plan collectif, sont plutôt en lien seulement avec l'aspect physique de l'individu, alors qu'il semble préférable d'en approfondir le sens pour que s'élève un tant soit peu le niveau de conscience et que soit implantée une plus grande globalité dans les soins apportés. Il est question ici des mots *symptôme*, *maladie*, *guérison* et *santé*.

La redéfinition de ces mots ne s'adresse pas seulement à la population en général, mais aussi au corps médical qui aurait sans doute avantage à mieux cerner ce que peut englober leur signification réelle.

Le système de santé au Québec gagnerait certes en efficacité et en humanisation par le simple fait de mieux intégrer ces mots dans les soins apportés.

### 4.2.1 : LES SYMPTÔMES

Les symptômes ont bien sûr une cause physique. La médecine moderne se base sur leur présentation pour poser un diagnostic et établir un traitement. Ils représenteraient cependant la pointe de l'iceberg, car derrière se cacheraient également plusieurs autres facteurs, dont les émotions et la composante énergétique de l'être humain.

*« Depuis deux ans, il y a des preuves de lignes directes entre les cellules cancéreuses et notre état mental... Il a été relevé que des gens souffrant d'un deuil ou d'une dépression majeure avaient deux fois plus de chances de développer un cancer. On a découvert dernièrement que les cellules cancéreuses se multiplient trois fois plus vite en présence d'émotions négatives. »*

Dr Christian Boukaram, radio-oncologue
*L'Actualité Médicale*, 23 novembre 2011

Les émotions dites négatives (tristesse, colère, culpabilité, honte...) et l'environnement dans lequel se trouve l'individu semblent ainsi avoir un impact sur le corps physique et la physiologie cellulaire. Une trop grande charge émotive pourrait donc mener jusqu'à des dysfonctions organiques et des symptômes physiques.

L'auteur est d'ailleurs convaincu que le bagage émotif d'un individu, qu'il soit conscient ou non, peut favoriser l'apparition de symptômes physiques et psychologiques. Il serait alors possible que son propre inconscient agisse à son insu en provoquant des désordres corporels et psychiques.

De son côté, l'acupuncture enseigne qu'un symptôme physique est en lien avec un blocage énergétique au niveau d'un ou plusieurs méridiens. Elle prétend que la circulation de Chi est alors entravée, ce qui perturberait le flot d'énergie et entraînerait des malaises corporels.

Il est également possible qu'un symptôme soit en lien avec la conscience de l'individu et qu'il se manifeste pour signifier que l'être porte en lui une souffrance. Il se pourrait donc que ce soit une façon qu'emprunte sa propre conscience pour indiquer qu'un désordre interne est présent, tant au niveau physique, émotif, psychologique, énergétique que spirituel.


## 4.2.2 : LA MALADIE

La maladie a bien sûr une composante physique, tel que l'a très bien documenté la médecine moderne dans son approche. Si l'on considère cependant que les symptômes ont aussi une composante émotive et énergétique, il en va de même pour la maladie.

Enseigner à la population que la maladie n'a pas seulement une composante physique permettrait d'augmenter le niveau de conscience de cette même population. Selon l'auteur, il s'agit là d'un moyen de prévention tout aussi important que ceux qui sont actuellement publicisés pour le tabagisme ou les maladies cardiaques. Pourquoi alors le gouvernement refuserait-il d'y investir de l'argent? Ne gagnerait-on pas, en tant que collectivité, à mieux percevoir les causes émotives et énergétiques des maladies?

Quand on sait que derrière une maladie, il y a une autre cause plus profonde que la seule composante physique, n'a-t-on pas tendance à davantage chercher cette cause au lieu de s'en remettre au corps médical? N'a-t-on pas alors tendance à vouloir dénouer des émotions lourdes appartenant à un passé qui bloque le présent? La médecine est alors davantage vue comme un dernier recours, et non pas comme un premier recours, ce qui peut éventuellement aider à diminuer le nombre de consultations médicales et, par le fait même, l'engorgement aux urgences.

### 4.2.3 : LA GUÉRISON

Le mot *guérison* n'est pas le propre de la médecine moderne. Il existait bien avant que cette dernière ne prenne son envol dans les années 1900, entre autres dans les médecines pratiquées par les traditions ancestrales (Tibétains, Taoïstes, Amérindiens...).

Au fil des dernières décennies, la médecine moderne a cependant pris pour sien ce mot, et encore aujourd'hui, elle prétend que ce qui n'est pas de son ordre ne peut que très difficilement amener une réelle guérison comme elle l'a elle-même définie.

L'auteur prétend qu'il existe non pas seulement une guérison physique, mais aussi une guérison émotive et énergétique :

#### Physique

Dans les sociétés occidentales, la guérison physique relève surtout de l'expertise de la médecine moderne. Cette dernière se concentre sur le traitement des symptômes corporels. Elle touche peu à la composante émotive et n'aborde pas la guérison énergétique.

Comme le corps, les émotions et la conscience sont intimement reliés, la guérison physique peut également survenir lors d'une guérison émotive ou énergétique.

#### Émotive

Une guérison émotive survient lorsque se transforment des émotions lourdes (tristesse, abandon, colère, honte...). L'utilisation de procédés d'alchimie interne[1] favorise un mouvement en ce sens.

---

1  L'alchimie interne se veut la transformation des émotions lourdes en énergie plus subtile.

Une guérison émotive peut diminuer des symptômes et entraîner jusqu'à une guérison physique. Elle favorise également un mouvement de guérison énergétique, car elle soulage l'individu d'un lourd passé qui amenait un blocage au niveau de certains méridiens.

### Énergétique

Une guérison énergétique est celle qui permet une meilleure circulation de Chi dans les méridiens. Cela entraîne un allègement dans l'organisme et la possibilité d'une baisse de la symptomatologie. Il est donc possible d'agir sur des mécanismes physiologiques cellulaires et le fonctionnement des organes à partir d'une guérison énergétique.

Par ailleurs, chaque fois que survient une guérison énergétique, il peut se produire également une guérison émotive.

De plus, le seul fait d'augmenter son niveau de conscience peut, semble-t-il, amener dans son propre système une guérison énergétique.

### 4.2.4 : LA SANTÉ

Dans le modèle de médecine intégrative, la médecine moderne et l'acupuncture sont des approches complémentaires qui permettent d'offrir des soins optimaux. La médecine moderne traite ainsi les urgences corporelles et vise donc la santé physique, alors que l'acupuncture vise d'abord une meilleure santé émotive et énergétique, qui se répercute bien sûr par une meilleure santé physique.

Plus la santé émotive et énergétique est encouragée, moins les besoins en santé physique se font ressentir. En d'autres termes, plus l'individu prend en considération ce qui cause par exemple une bronchite, et ce aux niveaux émotif et énergétique, moins le besoin se fera sentir de consulter un médecin pour ce problème physique.

Combien de fois l'auteur s'est-il fait demander par des patients qui le consultaient en médecine générale :

*« Oui, mais docteur, pourquoi, chaque hiver, à la même période, je fais une bronchite? »*

*« Oui, mais docteur, pourquoi, tous les trois ou quatre mois, je fais une infection urinaire? »*

La réponse est simple : c'est que ces individus, bien qu'ils puissent être considérés comme étant en bonne santé physique entre leurs bronchites ou leurs infections urinaires récidivantes, ne sont pas nécessairement en santé aux niveaux émotif et énergétique. Il existe ainsi une cause, autre que purement physique, qui explique les dysfonctions organiques.

Autrement dit, un organe peut tout de même bien fonctionner en apparence, avec des résultats de laboratoire ou des tests d'imagerie normaux, mais il peut quand même être dans un état de dysfonction sur le plan énergétique, expliquant ainsi la récidive des symptômes. Cette réflexion semble importante, car elle montre à quel point le système de santé québécois est actuellement dans une grande ignorance des causes énergétiques des maladies.

Un individu qui identifie mieux les causes profondes de sa bronchite ou de son infection urinaire est un individu qui finalement consultera moins les médecins, car il saura davantage prévenir ses problèmes physiques par une meilleure santé émotive et énergétique.

C'est dans ce sens qu'il semble important que le gouvernement québécois installe un modèle de santé qui vise non pas seulement la prévention physique des maladies, mais aussi la prévention émotive et énergétique. Cela ne ferait que favoriser une plus grande autonomie de chacun vis-à-vis de sa propre santé, et ainsi une diminution probable des consultations médicales. Cette mesure pourrait donc éventuellement contribuer à diminuer le temps d'attente dans les services d'urgence.

## 4.2.5 : LES RÉPERCUSSIONS

La redéfinition des mots *symptôme*, *maladie*, *guérison* et *santé* peut entraîner des répercussions positives sur l'ensemble du réseau de la santé. Cela est illustré au schéma 4.2 (voir page suivante).

L'augmentation du niveau de conscience collective par l'élargissement de la signification de ces mots permettrait, entre autres, de mieux percevoir les déviances de la médecine moderne lorsqu'elle agit en dehors de sa spécificité. Cela contribuerait donc à mieux responsabiliser l'individu face à ses problèmes physiques et psychologiques pour qu'il soit davantage autonome et qu'il soit ainsi moins dépendant du système de santé.

Il serait donc souhaitable que des publicités ou des programmes d'éducation soient mis en place par le gouvernement pour favoriser une meilleure compréhension des mots *symptôme*, *maladie*, *guérison* et *santé*, et ce afin d'en élargir le sens et qu'éventuellement cela ait des répercussions positives sur l'ensemble du réseau de la santé.

élargissement de la signification des mots *symptôme, maladie, guérison* et *santé*

↓

augmentation du niveau de conscience collective

↓

meilleure santé physique, émotive et énergétique de la population

↓

diminution des consultations médicales

↓

diminution des coûts du système de santé

**Schéma 4.2 :** Les principales répercussions de l'élargissement de la signification des mots *symptôme, maladie, guérison* et *santé*

## 4.3 : L'AUTONOMIE

Un individu qui perçoit mieux la composante émotive ou énergétique de ses symptômes devient plus autonome vis-à-vis de sa propre santé, car il est davantage en mesure d'agir lui-même pour apaiser ses malaises, entre autres par des mécanismes internes de transformation. De cette façon, si un nombre croissant d'individus devient de plus en plus autonome vis-à-vis de sa propre santé, la résultante est que sur le plan collectif, moins de gens auront besoin de consulter un médecin. Si tel est le cas, le réseau de la santé sera alors moins achalandé, ce qui pourrait aller jusqu'à favoriser une diminution du temps d'attente dans les cliniques et les urgences.

### 4.3.1 : LA PRÉVENTION

Pour la médecine moderne, la prévention est axée sur la santé physique des individus. On parle alors de bien manger, de faire de l'exercice, de l'arrêt du tabagisme et de consommer de l'alcool en toute modération. Ces mesures doivent bien sûr être encouragées pour que chacun puisse maintenir un niveau de santé optimal.

Cette prévention est donc importante pour garder la meilleure forme physique possible, mais elle est limitative, car il n'est pas question de santé émotive ni de santé énergétique. La raison pour laquelle la médecine moderne ne va pas plus loin dans son modèle de prévention est simple : c'est parce qu'elle ne s'intéresse pas aux causes émotives et énergétiques des maladies.

Pour améliorer la santé des Québécois, il semble primordial de mettre en place un modèle de prévention qui vise non seulement la prévention physique, mais aussi la prévention émotive et énergétique des maladies. De là, entre autres, l'intérêt de mettre de l'avant l'acupuncture comme modalité thérapeutique.

Cependant, se limiter à promouvoir une approche thérapeutique serait trop simplifier les choses et oublier que la prévention, qu'elle soit physique, émotive ou énergétique, c'est d'abord à chaque individu de la mettre en place pour soi-même, et ce par une plus grande connaissance et une meilleure gestion de sa propre composante émotive et énergétique.

Il semble alors nécessaire pour chacun de savoir que l'on est bien plus qu'un corps physique. Au-delà du monde visible, l'être humain a aussi des émotions inconscientes et une composante énergétique qui influencent le corps et le psychisme, et qui peuvent amener jusqu'à des dysfonctions organiques et des symptômes.

Pour redresser le système de santé québécois, il semble donc nécessaire de mettre en place un modèle de prévention qui ne vise pas que la santé physique, mais aussi la santé émotive et énergétique de chacun. Pour cela, des campagnes de publicité ou d'information pourraient être mises de l'avant pour que la collectivité soit davantage éduquée sur le sujet. Il serait également nécessaire que les principaux intervenants du système de santé, incluant les médecins, soient également porteurs de ce message.

Les instances gouvernementales et les autorités médicales ne disent-elles pas qu'elles veulent que la population du Québec soit en meilleure santé? Pourquoi alors refuseraient-elles de mettre en place un modèle de prévention qui ne peut qu'améliorer non seulement la santé physique de la collectivité, mais aussi sa santé émotive et énergétique?

En tant que société, nous avons donc avantage à développer un modèle de prévention qui vise non seulement une guérison physique, mais aussi une guérison émotive et énergétique. Pour cela, il est nécessaire d'aller plus loin que le modèle de prévention actuellement mis en place par la médecine moderne, qui est celui de mettre l'accent sur l'alimentation, l'exercice, l'arrêt du tabagisme et la modération dans la consommation de l'alcool. À ces éléments, il est possible de greffer une série de mesures visant le bien-être émotif et énergétique d'une collectivité — que l'on pense simplement à l'implantation de cours de yoga ou de Tai Chi dans les écoles, les entreprises et les centres pour aînés.

En mettant l'accent sur la guérison émotive et énergétique, sans négliger la guérison physique telle qu'actuellement visée par la médecine moderne, cela peut entraîner des répercussions sur l'incidence des maladies en diminuant les symptômes physiques et psychologiques et en augmentant l'autonomie de chacun vis-à-vis de sa propre santé. Il ne peut en résulter qu'une population qui tend à moins consulter les médecins pour les différents problèmes de santé, ayant su davantage les prévenir par une approche de santé globale.

Dans ce modèle de prévention collective des maladies, il ne faudrait pas oublier un autre élément, tout aussi important, sinon plus important que les autres : il s'agit de la santé spirituelle de la population.

Derrière toute santé physique, émotive et énergétique d'une collectivité, se trouve également la santé spirituelle des individus.

Une population en santé sur le plan spirituel est aussi une population en meilleure santé aux niveaux physique, émotif et énergétique. De là, l'intérêt d'intégrer dans un modèle de prévention collective, les enseignements transmis par les traditions ancestrales (Tibétains, Taoïstes, Amérindiens...). De là, également, l'intérêt d'enseigner que l'être humain est d'abord et avant tout une conscience et qu'il transporte en lui une composante subtile. De là, aussi, l'intérêt d'enseigner que la mort n'est pas une finalité, mais qu'elle n'est que continuité.

Tant que ces enseignements ne seront pas suffisamment intégrés sur le plan collectif, il est probable qu'il en résulte des perturbations sur la santé physique, émotive et énergétique des individus. Ainsi, la santé spirituelle d'une population peut influencer son bien-être et favoriser l'implantation d'un modèle de prévention optimal.


## 4.3.2 : L'INDIVIDU AU CŒUR DU SYSTÈME DE SANTÉ

Pour qu'une collectivité aille plus loin dans son modèle de soins, il est nécessaire que l'individu soit au cœur du système de santé, et non pas seulement des approches, que ce soit la médecine moderne ou l'acupuncture.

Lorsque l'individu est au centre du réseau de la santé, des mesures sont mises en place et visent l'autonomie de chacun. Il est alors nécessaire que :

- La population soit mieux informée sur les causes émotives et énergétiques des maladies;
- Les intervenants du réseau de la santé puissent agir de façon à rendre les gens de plus en plus autonomes vis-à-vis de leur propre santé.

Ces éléments mettent ainsi la priorité sur la santé émotive et énergétique d'une collectivité, sans négliger la prévention physique telle que la conçoit la médecine moderne.

Par exemple, si un individu ressent un symptôme, qu'il soit physique ou psychologique, et que ce même individu sait identifier et transformer la composante émotive de son malaise, il peut alors rétablir son équilibre interne sans avoir à consulter un médecin ou un acupuncteur. Sa plus grande connaissance des causes qui mènent jusqu'à des dysfonctions organiques peut ainsi lui permettre de garder une plus grande autonomie vis-à-vis de sa propre santé, et peut même favoriser une diminution de la consommation de médicaments.

Un modèle de soins qui met vraiment l'individu au cœur du système de santé prône ainsi une prévention élargie des maladies qui tient compte des différentes composantes de l'être humain. Il reconnaît également que chacun est porteur d'un potentiel d'auto-guérison qu'il est possible de rendre actif pour favoriser son autonomie.

La mise en place de ce modèle vise donc l'optimisation des soins de santé, et ce tant individuellement que collectivement.


## 4.3.3 : LE NIVEAU DE CONSCIENCE

Lorsque la médecine moderne agit en dehors de sa spécificité, il est possible que cela ne soit pas tant causé par la structure en place, mais plutôt par le manque d'autonomie d'une masse d'individus concernant leur santé globale.

Autrement dit, lorsque le niveau de conscience d'une collectivité n'a pas atteint un certain seuil, il peut y avoir le besoin pour l'ensemble de créer une structure externe pour palier une ignorance. Une société peut donc traîner des lourdeurs qui contribuent à maintenir la consommation de médicaments ou de soins.

Un individu et une collectivité ont le potentiel de reprendre l'autonomie de leur santé globale à partir d'un processus visant surtout une guérison émotive et énergétique. Il peut alors en résulter une moins grande consommation des soins de santé.

Lorsque le corps physique devient un outil pour servir un processus évolutif, l'individu est davantage à l'affût des désordres corporels et psychiques, ce qui peut l'amener à retrouver plus rapidement un équilibre interne par des processus de transformation. Il s'installe ainsi une meilleure prise en charge de sa propre santé.

L'ensemble de la collectivité aurait donc avantage à se tourner vers une médecine qui enseigne les différentes composantes de l'être humain pour que soit développée une plus grande autonomie face aux perturbations physiques et psychiques, sans pour autant négliger l'expertise et la spécificité de la médecine moderne.

### 4.3.4 : CRÉER SON PROPRE DOSSIER MÉDICAL

Pour augmenter l'autonomie de sa santé, chaque individu aurait avantage à garder une copie de son dossier médical chez lui, sous forme papier ou électronique. Pour ce faire, il s'agit de contacter tous les endroits où se trouvent ses résultats de laboratoire, ses tests radiologiques, ses consultations médicales et sa liste de médicaments, et ce afin d'en recevoir une copie et de les classer dans un porte-documents ou dans son ordinateur.

Créer son propre dossier médical permet ainsi de mieux objectiver l'état de sa santé et d'être à l'affût des changements. Cela peut également faciliter la transmission d'information pertinente à des médecins ou thérapeutes si nécessaire.

Maintes fois, l'auteur a vu en consultation des gens qui ne savaient pas le nom de leur médicament ni la raison pour laquelle un médecin le leur avait prescrit, ce qui dénote une certaine déresponsabilisation de sa santé. Créer son propre dossier permet donc de se responsabiliser davantage et de mieux suivre son évolution sur le plan médical et thérapeutique.

## 4.4 : MIEUX CERNER LA SPÉCIFICITÉ DE LA MÉDECINE MODERNE

En cernant davantage là où la médecine moderne pose des gestes qui ne relèvent pas de sa spécificité, mais plutôt de la spécificité d'une approche qui vise une meilleure santé émotive et énergétique, telle l'acupuncture, cela permet à la population de développer une plus grande autonomie en matière de santé. Cela est illustré au schéma 4.3 (voir page suivante).

Il est donc plus que souhaitable d'aller vers des modèles qui considèrent l'être humain dans sa globalité et qui augmentent ainsi le niveau de conscience de la collectivité. Mettre au cœur du système de santé une médecine *corps-cœur-esprit* va ainsi dans ce sens. Cela signifie que de laisser la médecine moderne comme le seul pivot central du système de santé ne fait qu'alourdir ce dernier. Pourquoi? Parce que le fait d'appliquer seulement une approche rationnelle, en dehors de la spécificité de la médecine moderne, contribue à garder un fossé d'ignorance collective qui alourdit l'ensemble du réseau de la santé, ce qui en fait d'ailleurs davantage un système de maladies.

En d'autres termes, encourager les gestes de la médecine moderne, en dehors de sa spécificité, nuit à l'augmentation du niveau de conscience de la population et ne fait que continuer à assommer de plus en plus d'individus avec des antidépresseurs et des anxiolytiques. Il importe donc de mieux cerner la spécificité de la médecine moderne pour mieux savoir là où elle tombe dans une forme de déviance, et ainsi mieux percevoir là où il faut dire : STOP! ARRÊTEZ!

Un des malaises collectifs actuellement est de ne pas bien cerner là où, justement, la médecine moderne tombe dans une sorte de déviance, c'est-à-dire là où elle sort de sa spécificité et applique son approche seulement rationnelle à des problèmes corporels qui demandent davantage de prendre en considération les causes émotives et énergétiques des symptômes, qu'ils soient physiques ou psychologiques.

Plus une population saura cerner là où la médecine moderne devient déviante, plus cette même population pourra dire non à l'ingérence et à des gestes qui ne contribuent pas à élever le niveau de conscience collective et qui, par le fait même, nourrissent une forme d'aliénation de la masse.

meilleure perception de la spécificité de la médecine moderne

↓

augmentation du besoin d'approches qui visent une meilleure santé émotive et énergétique (acupuncture, ostéopathie…)

↓

meilleure prévention émotive, énergétique et physique de la maladie

↓

population en meilleure santé

↓

diminution du nombre de consultations médicales

↓

diminution des coûts du système de santé

**Schéma 4.3 :** Les principales répercussions d'une meilleure perception de la spécificité de la médecine moderne

# 4.5 : ÊTRE EN PHASE DÉPRESSIVE (ET NON PLUS EN DÉPRESSION!)

Quand une personne manifeste depuis quelques semaines des symptômes de fatigue, d'irritabilité, de tristesse et de la difficulté à se concentrer, la médecine moderne pose alors le diagnostic de dépression. Ce dernier mot fait ainsi figure de maladie car il correspond à des critères objectifs, au même titre que l'asthme, l'ulcère d'estomac ou l'infection urinaire.

Pour chaque maladie, la médecine moderne tente de calmer les symptômes avec son approche médicamenteuse. On cherche ainsi à taire des signaux que le corps envoie, et qui indiquent un déséquilibre interne.

Cela signifie que l'utilisation des médicaments vise à diminuer et à enrayer les symptômes pour ne pas que l'organisme s'installe dans un état de plus grande survie, qui pourrait faire en sorte que la vie de l'individu serait en danger. Pour la médecine moderne, le mot *dépression* est donc associé à quelque chose qu'il faut enrayer et qui se veut même un ennemi à combattre. L'arme utilisée, les antidépresseurs, vise ainsi à anéantir les symptômes.

Le lien qu'a développé la médecine moderne avec les symptômes, qu'ils soient physiques ou psychologiques, est donc un lien où la guerre est déclarée. Cette attitude a certes servi la science médicale et a même fait en sorte que l'espérance de vie a augmenté de façon significative au cours des 60 dernières années. Elle a ainsi permis de combattre un état de survie. Mais cette attitude de combat est-elle celle qu'il est préférable d'adopter face aux symptômes dépressifs?

Tel que l'auteur l'a indiqué précédemment, les symptômes dépressifs sans idées suicidaires ne devraient pas être classés dans la phase de survie. Ne serait-il pas mieux alors d'adopter une attitude différente? Pour qu'il en soit ainsi, il semblerait même préférable d'adopter un autre vocabulaire pour désigner les individus avec des symptômes dépressifs sans idées suicidaires, qui ne souffriraient plus alors de dépression, mais se trouveraient plutôt dans une phase dépressive de leur existence.

Ce changement de vocabulaire apporte, selon l'auteur, une terminologie qui considère davantage l'état de Vie de l'individu. Dire que ce dernier est en phase dépressive met également en relief l'aspect temporaire des symptômes dépressifs, ces derniers étant même vus comme salutaires sur le plan évolutif car ils contiennent une charge émotive qui demande à se transformer.

Les symptômes dépressifs peuvent ainsi faire partie intégrante d'un processus de guérison émotive. L'individu se sert alors de sa fatigue, de son irritabilité ou de sa tristesse pour s'installer dans un mouvement qui favorise leur transformation par des mécanismes internes.

Il se sert donc de ses symptômes pour développer un lien d'amitié avec eux. C'est dans ce rapprochement et cette attitude que se trouverait une clef importante permettant un soulagement au niveau psychologique.

Le combat deviendrait ainsi futile car il ne ferait qu'éloigner les parcelles de Vie contenues dans les émotions lourdes et les symptômes dépressifs. Il est donc possible que les gestes de survie de la médecine moderne, dont celle de prescrire des antidépresseurs à des individus dépressifs sans idées suicidaires, ne favorisent pas un réel mouvement de guérison émotive.

Ainsi, un individu en phase dépressive serait dans une période très saine sur le plan évolutif car il y aurait là un potentiel de transformation de charges émotives accumulées. Cet individu ne serait donc pas seulement malade d'une dépression, telle qu'actuellement définie par la médecine moderne, mais plutôt dans un passage susceptible d'amener une guérison émotive ayant des impacts sur ses autres composantes. Ceci apporte une grande différence dans la perception et la signification qu'ont les symptômes dépressifs. L'un est dans un état de combat et de survie, alors que l'autre est dans un mouvement de transformation et de Vie. Ne serait-il pas temps de voir les choses différemment, tant au niveau individuel que collectif?

## 4.6 : DIMINUER LA CONSOMMATION DE MÉDICAMENTS

Une collectivité qui aspire à un mieux-être est une collectivité qui consomme le moins de médicaments possible. Dans ce sens, il serait souhaitable que le nombre de personnes qui prennent des médicaments, plus particulièrement des antidépresseurs et des anxiolytiques, diminue au cours des prochaines années, et que l'accent soit davantage mis sur des approches qui visent une guérison émotive et énergétique, telles l'acupuncture et des techniques méditatives comme le yoga ou le Tai Chi.

Comme il a été vu au chapitre III, il y a actuellement chez les Québécois une surconsommation de médicaments, ce qui entraîne d'année en année une augmentation des dépenses publiques pour couvrir le régime d'assurance-médicaments. N'y aurait-il pas là une avenue possible pour le gouvernement dans sa tentative de réduire les frais d'exploitation du système de santé?

Moins une collectivité consomme de médicaments, moins elle y dépense de l'argent, cela va de soi. En théorie, cela est une équation facile à exposer, alors que dans la pratique, l'auteur sait très bien que la complexité du système de santé rend cette application difficile. Mais cela est possible, et pour y arriver, il semble d'abord nécessaire de mieux cerner la spécificité de la médecine moderne.

Il ne s'agit pas ici de diminuer la consommation de médicaments par le simple choix aveugle de réduire la prise de telle ou telle pilule. Lorsqu'un médecin prescrit un médicament, il a des raisons objectives, qui ont rationnellement du sens. Une des questions que l'on peut cependant se poser est la suivante : *est-ce que le médicament prescrit entre dans la spécificité de la médecine moderne?* Si la réponse est oui, cela signifierait que l'individu se trouve dans une phase de survie (aiguë ou non aiguë) et qu'il lui serait préférable de prendre cette médication. Si la réponse est non, l'individu aurait alors avantage à aller vers d'autres approches thérapeutiques pour soulager ses symptômes physiques ou psychologiques, et ainsi à mettre de côté l'approche médicamenteuse, en se rappelant de consulter à nouveau un médecin si les symptômes persistent ou s'aggravent.

Ainsi, la surconsommation de médicaments se trouverait là où ces derniers se consomment alors qu'ils sont prescrits lorsque le corps ou le psychisme ne sont plus en état de survie (aiguë ou non aiguë), c'est-à-dire hors de la spécificité de la médecine moderne. Ce serait donc au-delà de cette ligne[1] qu'une surconsommation existerait en apportant des effets nuisibles pour les individus.

Il serait ainsi possible, autant individuellement que collectivement, de diminuer la consommation de médicaments en intégrant mieux la spécificité de la médecine moderne. Cela est illustré au schéma 4.4.

meilleure perception de la spécificité de la médecine moderne

↓

diminution de la consommation de médicaments

↓

population en meilleure santé

**Schéma 4.4 :** La diminution de la consommation de médicaments par une meilleure perception de la spécificité de la médecine moderne

---

1   L'auteur tient ici à rappeler qu'il appartient à chacun de tracer cette ligne entre la phase de survie et de non-survie, et ainsi de tenter de mieux cerner ce qui relève de la spécificité de la médecine moderne. Les critères émis dans ce volume sont un guide, mais la responsabilité de prendre tel ou tel médicament appartient au consommateur.

Et comment peut-on mieux cerner la spécificité de la médecine moderne? C'est, entre autres, en intégrant des notions sur la santé émotive et énergétique. Pour y arriver, il semble nécessaire d'élargir la signification des mots *symptôme*, *maladie*, *guérison* et *santé*. C'est donc en augmentant son propre niveau de conscience, et par le fait même le niveau de conscience collective, que l'on peut mieux cerner la spécificité de la médecine moderne, ce qui pourrait amener une diminution de la consommation de médicaments et ainsi permettre des économies à l'État québécois. Cela est illustré au schéma 4.5.

élargissement de la signification des mots *symptôme*, *maladie*, *guérison* et *santé*
↓
meilleure perception de la spécificité de la médecine moderne
↓
augmentation du besoin d'approches qui visent une meilleure santé émotive et énergétique (acupuncture, ostéopathie...)
↓
diminution de la consommation des médicaments
↓
population en meilleure santé
↓
diminution des coûts du système de santé

**Schéma 4.5 :** La diminution des coûts du système de santé par une meilleure perception de la spécificité de la médecine moderne

Ainsi, pour passer de la surconsommation à une consommation minimale de médicaments, et pour ainsi faire des économies au niveau des dépenses publiques servant à couvrir l'assurance-médicaments, le gouvernement québécois aurait avantage à prendre des mesures pour que la population et les intervenants du réseau de la santé intègrent mieux la réelle signification des mots *symptôme*, *maladie*, *guérison* et *santé*.

C'est donc par une meilleure santé émotive et énergétique de la population que cette dernière pourra diminuer sa consommation de médicaments, et qu'ainsi le gouvernement pourra également diminuer ses dépenses dans le régime d'assurance-médicaments. Il faudrait alors que s'implante un modèle de prévention qui ne tient pas seulement compte de l'aspect physique de l'individu, mais de toutes ses composantes (émotive, psychologique, énergétique et spirituelle), et ce pour favoriser une plus grande autonomie des individus vis-à-vis de leur santé.

Sur le plan collectif, la diminution de la consommation de médicaments pourrait ainsi se produire en connaissant mieux la spécificité de la médecine moderne. C'est entre autres pour cette raison que cette notion est si importante, car elle peut avoir des impacts allant jusqu'à diminuer les frais d'exploitation du système de santé. Alors pourquoi le gouvernement refuserait-il de prendre des mesures en ce sens?

Qu'arriverait-il si le gouvernement mettait en place des mesures qui favorisent pour la population une meilleure connaissance de la spécificité de la médecine moderne et ainsi une diminution de la consommation de médicaments? Ne risquerait-il pas alors de subir des pressions des compagnies pharmaceutiques pour ne pas aller en ce sens, de peur pour ces mêmes compagnies de perdre des profits importants? Ne subirait-il pas alors des pressions des autorités médicales pour ne pas aller en ce sens, de peur pour ces mêmes autorités de perdre un contrôle sur la population et sur ses membres?

« *Le potentiel d'amélioration de la qualité des soins et de la santé des individus grâce à une utilisation rationnelle des médicaments est énorme. Une réduction substantielle des dépenses en médicaments pourrait en résulter. Il est décevant de constater que, malgré les recommandations qui ont été formulées en ce sens au cours des années, la question suscite bien peu d'intérêt au ministère de la Santé et dans le système en général.* »

Claude Castonguay, *Santé : l'heure des choix*, 2012

Au bout du compte, le gouvernement est-il vraiment intéressé à ce que la population consomme moins de médicaments? Est-il ainsi vraiment intéressé à diminuer les dépenses publiques pour couvrir le régime d'assurance-médicaments, au profit d'une population en meilleure santé grâce à une plus grande connaissance de la spécificité de la médecine moderne?

Il existe actuellement d'énormes résistances, à plusieurs niveaux. Ce n'est sans doute pas sans heurts qu'une société pourra passer d'un état de surconsommation à une consommation minimale de médicaments. Mais c'est possible, en ayant pour base l'être humain dans sa globalité, et non plus de simplement le définir que par sa composante physique.

# 4.7 : LES RÉSISTANCES AUX CHANGEMENTS

Les principaux acteurs en jeu dans le système de santé, soit le gouvernement québécois, les autorités médicales et les compagnies pharmaceutiques, ne semblent pas avoir avantage à ce que s'implante un modèle de santé autre que celui actuellement en place, c'est-à-dire à ce que le manque de conscience collective se transforme en une plus grande clarté d'esprit. Il y a là tout un pouvoir qui agit sur la population par une désinformation et par le fait de nourrir une ignorance collective. Voici un exemple :

L'auteur a déjà vu, alors qu'il pratiquait dans une salle d'urgence un dimanche matin, un collègue médecin qui était dans un état de grande nervosité parce qu'il n'y avait que peu de patients à voir, ce qui se traduisait alors pour lui par peu de revenus. La nervosité qu'il ressentait venait du fait qu'il pensait entre autres aux paiements mensuels de sa maison, de sa voiture, ou d'autre chose.

Ainsi, ce même médecin avait grand besoin que des gens tombent malades et consultent, et ce pour sa propre survie et sa consommation matérielle. La maladie devenait donc pour lui source de profits, et même source de plaisir, car plus de gens tombaient malades, plus il pouvait ainsi gonfler ses revenus.

Le même raisonnement vaut, mais à d'autres échelons :

Au niveau des compagnies pharmaceutiques, il est assez facile de comprendre que plus des individus tombent malades, plus elles empochent des profits. Il serait ainsi difficile pour elles de contribuer à l'essor d'un modèle qui vise une meilleure santé émotive et énergétique de la population, car plus les gens sont autonomes vis-à-vis de leur propre santé, moins ils consomment de médicaments, ce qui ne ferait que diminuer leurs profits.

Les compagnies pharmaceutiques n'ont donc pas avantage à ce que l'acupuncture soit mise à l'avant-plan dans un modèle de santé qui vise des soins optimaux.

Au niveau des autorités médicales, la maladie est aussi très payante, non pas tant sous forme de revenus, mais surtout au niveau de leur ego et dans leur désir de rester le pivot central du système de santé.

Le seul fait d'élargir la notion de santé physique à une santé émotive et énergétique, et de promouvoir ces deux dernières, ne leur plaira guère. La raison est que cela entraîne une perte de leur pouvoir et de leur autorité sur la collectivité. Un château risque alors d'être secoué, soit celui d'avoir régné par une approche seulement rationnelle, ce qui ne peut qu'entraîner une déstabilisation et un besoin de resserrer encore plus les rangs par des punitions et des campagnes de peurs.

Les autorités médicales n'ont donc pas, elles non plus, avantage à sortir d'un système de maladies pour aller vers un modèle qui vise une meilleure santé émotive et énergétique de la population. Quand les bases d'une structure ne s'établissent qu'à partir d'une logique rationnelle, la venue et l'implantation d'approches qui ont aussi leur logique à un niveau plus subtil, peut amener des peurs de perdre un contrôle sur un ensemble d'individus, et ainsi la volonté de nourrir une forme d'ignorance collective afin de garder une mainmise sur le réseau de la santé.

Les autorités médicales ne verront donc pas d'un bon œil que l'acupuncture commence à s'implanter dans le milieu hospitalier et qu'elle soit partie intégrante d'un modèle de santé qui vise des soins optimaux et qui tient compte de l'être humain dans sa globalité.

Au niveau du gouvernement, le raisonnement semble plus difficile à comprendre, car de prime abord, il a tout avantage à implanter des modèles de santé qui visent une meilleure santé émotive et énergétique de la population, et ce parce qu'une collectivité qui est de plus en plus autonome vis-à-vis de sa propre santé est une collectivité qui consomme moins de soins et qui se rend donc moins aux urgences, ce qui ne peut qu'entraîner une diminution des coûts. Pourquoi alors le gouvernement montrerait-il des résistances à l'implantation d'une meilleure santé émotive et énergétique de la population?

À cet échelon également, il semble y avoir des jeux de pouvoir qui font que la maladie est aussi payante, et sert également à garder des liens avec les autorités médicales et les compagnies pharmaceutiques. Ces trois instances semblent ainsi profiter d'une ignorance collective pour s'autonourrir et garder un contrôle.

La maladie, bien qu'elle coûte des sommes colossales à la fonction publique, contribue à garder une structure gouvernementale en place et à faire en sorte qu'elle nourrisse un réseau implanté à partir d'une approche rationnelle. L'élargissement d'un modèle de santé qui vise d'abord une meilleure santé émotive et énergétique peut amener de grandes résistances chez des fonctionnaires qui ont besoin de la maladie pour assurer leur source de revenus.

La mise en place d'un modèle qui vise des soins optimaux par l'implantation de l'acupuncture dans le milieu hospitalier ne dérange donc pas seulement les compagnies pharmaceutiques et les autorités médicales, mais aussi toute la structure interne gouvernementale du réseau de la santé qui fonctionne parce que des gens sont malades. Cela veut dire que si la population gagne en autonomie au niveau de sa santé, c'est toute la structure gouvernementale du réseau de la santé qui en sera touchée, et ainsi, un autre château risque d'être secoué.

Il y a donc d'énormes résistances aux changements sur le plan collectif pour l'implantation d'un modèle axé sur la santé émotive et énergétique, tant au niveau des compagnies pharmaceutiques et des autorités médicales que du gouvernement, ce qui fera sans doute soulever des peurs et des oppositions pour que soient gardées en place les structures actuelles telles qu'elles sont présentement définies. Mais si un nombre suffisant de gens s'efforcent de maintenir un désir de changement pour que le niveau de conscience s'élève et apporte à tout le moins un certain soulagement à la détresse actuelle du système de santé, il pourrait être possible de voir apparaître un réseau qui s'occupe vraiment de la globalité des êtres humains qui le forment et qu'ainsi les soins offerts soient élargis, et ce dans un cadre tout à fait sécuritaire.

Il ne faudrait donc pas s'attendre à ce que les réels changements proviennent des structures actuellement en place, car elles ont en fait peu à gagner, mais plutôt des choses à perdre, en termes de pouvoir, d'argent et d'ego.

Il semble plutôt que les réels changements proviendront d'un nombre suffisant d'individus qui remettront en question ces mêmes structures en y imprégnant un mouvement d'une plus grande conscience. Une masse de gens pourrait alors mieux se délivrer d'une forme de dépendance en prenant davantage en main leur destinée, et ce par une plus grande autonomie face à leur santé.

Ainsi, il ne faudrait pas trop compter sur les structures en place pour que de réelles transformations surviennent, car leurs intérêts vont plutôt dans le sens contraire et laissent planer une forme d'ignorance qui nuit au désir de changement. C'est donc d'abord à chacun d'élever son niveau de conscience, et ce par une meilleure santé émotive et énergétique, pour qu'en fin de compte l'ensemble de la population bénéficie éventuellement de soins optimaux.

## 4.8 : RÉUNIR CE QUI EST SÉPARÉ

Si l'on pense à la médecine moderne et à l'acupuncture, il semble venu le temps de ne plus séparer ces deux approches, mais plutôt de les réunir sous un même toit. En ce sens, l'auteur prétend que des soins optimaux seront offerts à la population le jour où la médecine moderne et l'acupuncture arriveront à vraiment s'intégrer une dans l'autre. C'est d'ailleurs dans cette voie de réunion que semblent se trouver des solutions aux problèmes actuels du système de santé québécois.

Prétendre ainsi que de réelles solutions se trouvent dans des décisions qui ne font que continuer à prôner principalement une approche rationnelle de la maladie serait en soi un leurre profond. Cela signifie que si la médecine moderne reste le seul chef de file du réseau de la santé, les problèmes actuels risquent fortement de persister, et même d'empirer.

Gérer le système de santé seulement par la surface de ses symptômes ne peut ainsi que créer un désordre encore plus grand, car il s'y trouve une profonde ignorance de la globalité de l'être humain. Autrement dit, gérer un système de santé qui repose principalement sur la médecine moderne et qui continue aveuglément en ce sens, ne fait qu'augmenter le fossé entre la science et la conscience.

Il est donc possible que les problèmes du système de santé aient d'abord été créés par ce fossé qui existe actuellement entre la science et la conscience. Les solutions passeraient ainsi par l'ajout de notions qui proviennent des différentes composantes de l'être humain (physique, émotive, psychologique, énergétique et spirituelle). En ce sens, le bagage millénaire de l'acupuncture et le Savoir transmis par les traditions ancestrales (Tibétains, Taoïstes, Amérindiens…) pourraient arriver éventuellement à combler ce fossé qui existe actuellement entre la science et la conscience. C'est entre autres pour cette raison que l'auteur insiste sur le développement d'un réseau de soins qui élargit la signification des mots *symptôme*, *maladie*, *guérison* et *santé*, et ce afin que s'implante un système qui ne fonctionne pas seulement avec la pensée rationnelle, mais bien en tenant compte de la globalité de l'être humain.

Continuer à soutenir et à encourager le modèle de santé actuel oriente donc la société québécoise vers un gouffre certain, car il repose sur une approche rationnelle qui n'a pas le Savoir de la totalité de l'être humain. Cela signifie concrètement que les services médicaux ne feront que se détériorer et les épuisements professionnels des travailleurs de la santé ne feront qu'augmenter si le navire ne change pas de direction et qu'il continue à voguer inconsciemment vers une accentuation de sa propre dérive.

En d'autres mots, la souffrance dans laquelle se trouve actuellement le système de santé ne fera qu'augmenter si aucun changement significatif n'est apporté. L'espérance de vie risque même de diminuer dans les sociétés occidentales, de par tous les cas d'obésité, de diabète, d'hypertension, de dépression et de stress. C'est donc un cri d'alarme que l'auteur sonne pour que soit implanté un modèle qui réunit deux modes de pensée, soit celui de l'Orient et de l'Occident. C'est par cet accouplement que se trouveraient ainsi les principales solutions aux problèmes actuels du système de santé québécois.

## 4.9 : LES AÎNÉS

Actuellement, ce qui emporte les gens vers la mort, bien souvent, c'est leur souffrance physique ou psychologique. Quand un être n'en peut plus de vivre parce que son corps ne répond plus comme auparavant, son psychisme touche à des douleurs émotives.

Il peut venir un temps où cet être ne veut plus combattre et la mort devient pour lui sa seule porte de sortie parce que chaque fois qu'il se tourne vers le monde extérieur, il se retrouve face à ses propres incapacités physiques et psychologiques. Cela est particulièrement le cas pour les gens en perte d'autonomie avec des symptômes de démence (maladies d'Alzheimer et de Parkinson).

Pour inverser cette souffrance en fin de vie, il semble nécessaire qu'individuellement et collectivement soit intégrée une Connaissance, soit celle que l'être humain est d'abord et avant tout une conscience.

Si un individu en fin de vie sait vraiment où il s'en retourne après que les fonctions vitales de son corps s'arrêtent, l'anxiété et les peurs de la mort ont alors tendance à s'estomper pour faire place à une quiétude bienveillante. Savoir que la conscience désire se préparer à quitter le corps physique permet de mieux percevoir l'aspect temporaire du passage terrestre. C'est là qu'intervient tout le bagage transmis par les traditions ancestrales, qui peut ainsi devenir le remède à la souffrance physique et psychologique des êtres qui se trouvent face au mur de la mort, et ce au crépuscule de leur vie.


## 4.10 : LE TOUCHER THÉRAPEUTIQUE

L'auteur aborde ici un sujet qui, en fait, est très peu abordé dans le monde médical, soit celui du toucher thérapeutique. En voici les principales raisons :

- Le médecin agit d'abord à partir d'une logique rationnelle, et son approche du toucher est mécanique et systématique;
- Dans une consultation qui ne dure que 15 minutes, un médecin ne passe habituellement que quatre ou cinq minutes à faire un examen physique, parfois moins, dépendamment du problème de santé. Il n'a donc que peu de temps pour s'attarder au ressenti et à la sensibilité de son toucher.

Le toucher thérapeutique n'est donc pas une chose importante dans la dynamique médicale actuelle. Il est plutôt mis de côté au profit d'une intellectualisation des malaises et symptômes. Pourtant, il a le potentiel d'amener un certain soulagement émotif et peut ainsi se répercuter au niveau physique.

L'auteur ne parle pas ici d'un toucher thérapeutique qui dure une heure comme lors d'une séance de massothérapie. Il n'est pas besoin d'une durée aussi longue pour transmettre une forme de compassion à un patient. Un examen physique mécanisé de cinq minutes peut, s'il est fait en pleine conscience, transporter une énergie qui apaise des tensions corporelles et psychiques.

L'art du toucher, comme il n'est que peu ou pas enseigné dans les écoles de médecine, n'est en fait qu'esquivé dans le rapport avec les patients, car les principaux acteurs ont plutôt tendance à se réfugier dans leur approche rationnelle.

Si l'on part du fait qu'un toucher thérapeutique, si court soit-il, peut apporter une forme de guérison émotive ou énergétique, il s'agit d'un oubli de taille dans le contexte médical actuel. Une des raisons à cet oubli est que la priorité est mise sur la guérison physique en n'utilisant que l'approche rationnelle.

L'élargissement de la signification du mot *guérison* pourrait ainsi permettre au corps médical d'intégrer non pas seulement un toucher mécanique pour l'établissement d'un diagnostic, mais aussi un toucher thérapeutique qui vise la globalité de l'être humain et qui peut amener jusqu'à ressentir des causes profondes à certains malaises et symptômes.


## 4.11 : L'ÉTAT DE LA MASSOTHÉRAPIE

L'auteur désire mentionner ici qu'il est extrêmement dommage qu'au Québec, la masso-thérapie soit actuellement mal représentée et dans un grand désordre. Il existe de multiples associations qui n'ont pas su se regrouper au fil des années, préférant plutôt alimenter des guerres de clochers. Une des conséquences à cela est que la massothérapie demeure non inscrite à l'Office des professions, ce qui nuit à ce qu'elle soit davantage reconnue par la population et par les autres professionnels de la santé.

# CHAPITRE V

DES ACTIONS CONCRÈTES

## 5.1 : L'ASPECT FINANCIER

Tel que mentionné au chapitre I, le système de santé québécois est actuellement dans une dérive financière. Pour l'année 2012-2013, le budget de la santé et des services sociaux s'élevait à 31,1 milliards de $, alors qu'il s'établissait à 17,8 milliards de $ en 2002-2003. Des sommes considérables ont donc été investies dans le réseau de la santé depuis quelques années sans pour autant en améliorer de façon significative son efficacité et son humanisation.

*« On peut poser un diagnostic assez sûr du fait que le système de santé coûte actuellement de plus en plus cher et que l'on en a de moins en moins pour notre argent. Mais il est clair qu'il y a des traitements possibles. »*

André-Pierre Contandriopoulos
Professeur titulaire au Département d'administration de la santé
Université de Montréal
Émission de télévision *Une heure sur terre*, Radio-Canada, 5 octobre 2012

Parmi les traitements possibles, l'auteur souligne ici l'excellent contenu du livre *Santé : l'heure des choix* de Claude Castonguay, qui donne un aperçu de la problématique actuelle et qui apporte des solutions pour que soit redressé le budget de la santé et des services sociaux.

## 5.2 : LE MODÈLE FRANÇAIS

À première vue, la situation du système de santé en France semble moins catastrophique qu'au Québec. Depuis plusieurs années, des mesures ont été adoptées dans ce pays pour améliorer les services médicaux préhospitaliers – que l'on pense au SAMU[1], à SOS médecins[2] et à la loi qui assure à chaque citoyen français l'accès à un médecin traitant. La résultante est que l'accès à un médecin de famille pour les soins de première ligne est généralement plus facile et que les urgences sont beaucoup moins engorgées.

Le contexte en France et au Québec est bien sûr différent, mais en quoi le modèle français pourrait-il nous inspirer pour améliorer la qualité et l'accès aux soins de santé ? Jusqu'à quel point l'expérience du système de santé français peut-elle s'appliquer chez nous ?

---

1   SAMU = service d'aide médicale urgente
2   SOS Médecins : organisation privée qui envoie un médecin à domicile, 24 heures par jour, 365 jours par année.

Il est sans doute difficile de répondre à cette question car les bases comparatives doivent tenir compte de chacun des contextes, mais une des différences majeures est qu'en France, les omnipraticiens en cabinet ne font qu'une chose, soit de la médecine familiale. Au Québec, la réalité de l'organisation médicale fait que l'on ne peut pas se passer des médecins de famille dans les hôpitaux car ces derniers consacrent en moyenne 40 % de leur temps à des activités hospitalières (urgence, obstétrique, soins de longue durée…). À ce sujet, Dr Louis Godin, président de la FMOQ[1], mentionne[2] :

> « Si je prenais tous les médecins de famille qui travaillent actuellement à l'hôpital et que je consacrais toutes leurs activités professionnelles dans leur clinique, je n'aurais pas de problème d'accès à la médecine familiale. Tous les Québécois auraient un médecin de famille parce que je disposerais de l'équivalent de peut-être 3000 médecins supplémentaires qui iraient travailler dans leur bureau. »

En France, depuis une vingtaine d'années, la spécialité de médecine d'urgence s'est structurée. La résultante est que les urgences sont maintenant tenues de façon exclusive par des urgentologues, contrairement à ici au Québec, où 96 %[2] du travail médical aux urgences est fait par des omnipraticiens. Cette mesure du gouvernement français a donc permis de mieux concentrer le travail des médecins généralistes à leur clinique pour ainsi offrir un meilleur accès à la population aux soins de première ligne.

Pourrait-on également envisager au Québec la création d'un organisme privé semblable à SOS médecins, qui fait en sorte que des médecins sont disponibles en tout temps pour se déplacer au domicile des patients sur appel de ces derniers? Bien que cette mesure serait souhaitable et qu'elle permettrait un certain désengorgement aux urgences, elle n'est nullement envisageable, de par le manque d'effectifs médicaux pour assurer une telle couverture.

En France, le gouvernement a aussi imposé une loi qui oblige l'administration de la santé à offrir un médecin de famille à chaque citoyen. Pourrait-on envisager une telle mesure, ici au Québec, afin d'assurer à chacun l'accès à un médecin de famille? Malheureusement, ceci est difficilement envisageable, du moins à court ou moyen terme, car la pénurie d'effectifs est actuellement trop grande.

Ainsi, l'exemple du système de santé français nous dit que des solutions existent, sauf que l'état du système de santé québécois se bute principalement à la charge de travail imposée aux médecins généralistes dans les hôpitaux, faisant en sorte qu'ils sont alors moins disponibles à travailler dans leur clinique pour offrir des soins de première ligne. La résultante est qu'un nombre important d'individus se trouvent encore sans médecin de famille.

---

1  FMOQ = Fédération des médecins omnipraticiens du Québec
2  Émission de télévision *Une heure sur terre*, Radio-Canada, 5 octobre 2012

## 5.3 : L'INFORMATISATION DU RÉSEAU

L'informatisation du réseau de la santé est un élément non négligeable pour ce qui est de son efficacité et de sa gestion. Au cours des dernières années, le gouvernement a déployé des efforts pour favoriser l'implantation de l'informatique dans les cliniques médicales. Certaines ont réussi à effectuer le passage, mais plusieurs ne suivent pas encore et tardent à embarquer dans le mouvement.

Il s'agit bien sûr d'un gros défi, plus particulièrement dans les hôpitaux, mais le réseau de la santé aurait tout à gagner à intensifier le virage informatique, tant au niveau de la gestion des dossiers que de la prise de rendez-vous.


## 5.4 : COMMENCER PAR SOI-MÊME

La santé est d'abord une question vis-à-vis de soi-même, avant de l'être pour un ensemble d'individus. On peut alors se poser des questions, dont les suivantes :

— Suis-je physiquement en santé? Puis-je améliorer la qualité de ma nourriture? Est-ce que je fais suffisamment d'activités physiques pour maintenir la forme?
— Suis-je émotivement en santé? De quelle façon est-ce que je gère mes émotions quand je sens un déséquilibre à l'intérieur de moi? Me serait-il préférable d'exprimer davantage mes émotions? Si je ressens des malaises physiques occasionnels, est-ce que je peux faire un lien avec certaines émotions accumulées?
— Suis-je énergétiquement en santé? Est-ce que mes organes sont en santé sur le plan énergétique? Est-ce que je me sens centré ou décentré? Est-ce que je me sens bien aligné à l'intérieur de moi, ou bien est-ce que je me sens plutôt dans une sorte de perdition?

Ces quelques questions ramènent l'individu vers Lui-même, c'est-à-dire vers ses différentes composantes (physique, émotive, psychologique, énergétique et spirituelle). Elles peuvent donc nous mettre en contact avec notre propre globalité et nous aider à mieux percevoir là où justement, notre santé est défaillante, et où nous avons avantage à investir du temps pour l'améliorer.

Il est entre autres question ici de gérer le plus sainement possible ses émotions lourdes (tristesse, frustration, colère, culpabilité, honte…), non pas en cherchant à les refouler mais plutôt à les transformer. Il existe plusieurs méthodes ou techniques[1] qui apprennent à

---

1 Dans l'enseignement taoïste, ces méthodes ou techniques sont appelées *alchimie interne*.

l'individu à mieux percevoir des émotions qui s'étaient logées de façon inconsciente dans les organes, et ce afin que l'énergie (Chi) circule mieux dans ces derniers, favorisant ainsi une meilleure santé énergétique.

Les notions de *santé émotive* et de *santé énergétique*, avant d'être des notions abstraites, sont d'abord et avant tout concrètes. Ressentir une émotion lourde, que ce soit de la tristesse, de la colère ou de la honte, est réel à un instant donné. L'émotion qui se manifeste devient alors palpable, même si on ne la voit pas avec les yeux. Il y a donc quelque chose de vrai dans l'expérience de ressentir une émotion, et celle-ci peut même être objectivée à partir de son monde intérieur lorsqu'on arrive à établir une certaine distance avec elle.

De même, ressentir un malaise à un organe ou à une région de son corps est aussi très réel dans l'instant présent. Derrière cette manifestation, il se trouve habituellement un blocage énergétique dans un ou plusieurs méridiens. Un individu ayant suffisamment d'introspection peut alors percevoir une cause profonde à ses perturbations physiques ou psychologiques. Cela demande cependant une présence à soi-même.

La santé émotive et la santé énergétique ont donc un aspect très concret car elles partent d'une souffrance que vit l'individu, qu'elle soit physique ou psychologique, afin que cette dernière se transforme et laisse place à un état de mieux-être.

Une meilleure santé émotive et énergétique peut ainsi alléger une souffrance lorsque l'individu sait agir par des mécanismes internes de transformation au niveau de ses émotions lourdes et de ses organes. Dans ce sens, elle peut amener à soulager des symptômes sans que l'individu n'ait à consulter un médecin, et peut donc permettre de diminuer le nombre de consultations médicales. Pour en arriver là, l'individu se doit cependant d'être à l'affût des perturbations qui se manifestent en lui, avant même que le déséquilibre touche encore plus à l'aspect physique et se traduise par des symptômes aigus.

Ainsi, lorsque l'on tente d'améliorer sa propre santé émotive et énergétique, cela peut entraîner des répercussions positives au niveau physique. Un individu peut donc développer une vision élargie de sa propre santé lorsqu'il met l'accent sur le processus de guérison de l'ensemble de ses composantes. De là, l'intérêt de développer un modèle qui cible la globalité de l'être humain.

Par ailleurs, il est possible d'être en bonne santé physique, sans pour autant être en bonne santé aux niveaux émotif et énergétique. Autrement dit, ce n'est pas parce qu'un individu a un examen médical physique tout à fait normal et que les résultats de ses prises de sang sont également normaux qu'il est nécessairement en bonne santé à tous les niveaux.

# 5.5 : ÊTRE EN MEILLEURE SANTÉ COLLECTIVEMENT

## 5.5.1 : L'ÉLARGISSEMENT DU MODÈLE DE PRÉVENTION

Actuellement, le système de santé québécois s'attarde principalement à la santé physique des individus parce qu'il a comme chef de file la médecine moderne et que cette dernière a comme principale mission d'éteindre des feux. Dans la croyance populaire, dire que quelqu'un est en bonne santé se limite donc principalement à la santé physique. Pourtant, tel que mentionné ci-haut, être en bonne santé sur le plan physique ne signifie pas nécessairement que les individus qui composent la société sont nécessairement en bonne santé au niveau émotif et énergétique.

Tant que la collectivité en restera à une description très simplifiée de ce qu'est un individu en bonne santé, il ne peut en découler que des symptômes d'une dérive, dont la surconsommation de médicaments et le débordement dans les urgences. Il faut donc trouver une façon d'intervenir avant que des malaises physiques ou psychologiques ne prennent trop d'ampleur et que des gens consultent un médecin, soit en cabinet, dans les cliniques sans rendez-vous ou aux urgences, afin justement de désengorger le réseau de la santé.

Par exemple, si l'on part du principe que les symptômes du rhume ou de la grippe sont d'abord et avant tout causés par un manque de circulation de Chi, c'est-à-dire par une incapacité respiratoire à bien faire circuler l'énergie universelle dans certains méridiens du corps, cela permet d'agir dès l'apparition d'une toux ou d'une congestion nasale pour tenter de traiter la cause. Une population qui connaît bien les techniques de Chi Kung et de Tai Chi est beaucoup moins susceptible d'être atteinte d'infections des voies respiratoires (rhume, grippe, sinusite, laryngite, bronchite, pneumonie...).

Il y a là tout un potentiel d'éducation à faire pour qu'une société respire mieux, non seulement sur le plan physique, mais aussi sur le plan émotif et énergétique. Les répercussions peuvent être de très grande ampleur, dont une diminution du nombre de consultations médicales pour les infections des voies respiratoires et, par le fait même, un certain désengorgement du réseau de la santé. Il en découlerait également une réduction de l'utilisation des antibiotiques pour ces problèmes, permettant ainsi de lutter plus efficacement contre les résistances possibles des bactéries à certains médicaments.

De là, l'intérêt d'inclure dans notre modèle de prévention, non pas seulement la santé physique des individus, mais aussi la santé émotive et énergétique. C'est en agissant sur ces deux derniers aspects que les individus développeront une plus grande responsabilisation vis-à-vis de leur propre santé et seront à même de mieux intervenir lorsqu'un désordre physique ou psychologique se manifestera en eux. Là se trouvent, selon l'auteur, de réelles solutions qui peuvent aller jusqu'à décongestionner le système de santé actuel, et même mener jusqu'à des économies pour l'État.

Cependant, pour qu'il en soit ainsi, cela demande des campagnes d'éducation auprès de la population et des intervenants du réseau de la santé. Cela demande également la participation active des instances gouvernementales, de même qu'une plus grande ouverture des autorités médicales. Mais jusqu'où les décideurs seront-ils prêts à aller? Et jusqu'où la collectivité désirera-t-elle sortir d'un rôle de victime qui ne fait qu'alimenter le système de maladies?

## 5.5.2 : L'AMONT ET L'AVAL

La souffrance du système de santé, elle est bien sûr dans les urgences qui débordent, mais elle est d'abord et avant tout en amont, c'est-à-dire au niveau de la prévention qui est actuellement très déficiente car il s'agit d'une prévention axée seulement sur l'aspect physique.

La souffrance du système de santé aura donc tendance à persister tant qu'une prévention élargie ne sera pas suffisamment mise en place. Il s'agit, selon l'auteur, d'une importante pièce manquante qui fait défaut actuellement et qui contribue de façon marquée aux différents problèmes que présente le réseau de soins.

En élargissant le modèle actuel de prévention, les répercussions se feront sentir en aval, c'est-à-dire au niveau curatif. Plus on prévient les symptômes physiques et psychologiques par un modèle qui tient compte de la santé émotive et énergétique, moins les individus consulteront un médecin, et moins il y aura de médicaments prescrits. Cela ne peut être que bénéfique à long terme.

Ainsi, le principal remède des malaises et problèmes du système de santé québécois se situerait en amont du plan curatif, c'est-à-dire en intégrant la santé émotive et la santé énergétique au modèle de prévention actuellement en place.

## 5.5.3 : L'ATTITUDE SCIENTIFIQUE

La non-considération de la santé émotive et énergétique dans le modèle actuel de prévention met en relief les valeurs qui sont mises en priorité dans notre système de santé. Ces valeurs sont dictées par l'attitude scientifique, qui n'accepte pas comme vérité ce qui n'a pu encore être prouvé de façon certaine.

Cette attitude, bien qu'elle fût bénéfique et qu'elle ait permis d'augmenter l'espérance de vie de façon significative, peut être cependant limitative et même mener à un enfermement pathologique. La fermeture qui en découle ne fait qu'alimenter une souffrance collective qui s'exprime actuellement au niveau du système de santé par un mal-être, autant chez les patients et le personnel médical que dans le fonctionnement du réseau.

L'enfermement de l'attitude scientifique tend ainsi à limiter le modèle de prévention à un aspect seulement physique. Pour que soit soulagée cette souffrance, cela demande une ouverture afin de considérer un modèle de prévention qui inclut la santé émotive et la santé énergétique des individus. Cette réalité des émotions et du réseau énergétique du corps humain est difficilement descriptible par la science actuelle, mais elle n'en est pas moins vraie pour autant.

La souffrance collective dont il est question ici ne peut pas se traiter par des médicaments, donc ne peut pas se traiter par une attitude rationnelle et scientifique. Elle demande plutôt de considérer, au-delà de l'aspect physique, la globalité de l'être humain, c'est-à-dire ses composantes émotive, psychologique, énergétique et spirituelle.


### 5.5.4 : UN CHOIX

Un système de santé peut se maintenir dans son organisation et son fonctionnement, tel que c'est le cas actuellement, et ce même s'il ne s'articule qu'autour d'une approche rationnelle. Cependant, cela ne peut faire qu'un temps, car le fait qu'il se trouve trop dépourvu de notions qui lui permettent de tenir compte de la globalité de l'être humain, l'empêche d'évoluer sainement et tend plutôt à accentuer sa dérive.

Un système de santé peut donc tenir le coup en tentant de colmater les brèches, mais tôt ou tard, il risque d'exploser de par la pression qui augmente de jour en jour, et ainsi de s'effondrer à tout le moins partiellement, n'étant plus en mesure de répondre adéquatement aux besoins de la population, tant au niveau physique que psychologique.

La société québécoise a donc le choix en ce moment, soit d'accentuer la dérive de son système de santé en continuant à n'avoir comme chef de file que la médecine moderne, qui semble de moins en moins en mesure d'assumer seule ce rôle et qui ne répond malheureusement pas aux attentes d'un système en réelle santé, ou bien d'entamer une ouverture significative à ce que d'autres approches, telle l'acupuncture, puissent apporter leurs connaissances en termes de santé émotive et de santé énergétique.

Il y a ici une croisée des chemins qui se veut, avant d'être un choix de société, un choix individuel. Qu'est-ce que je privilégie dans ma vie? Seulement mon apparence et la surface des choses (aspect physique) ou bien également un état de bien-être intérieur (aspect émotif et énergétique)?

Sur le plan collectif, qu'est-ce que l'on privilégie pour notre système de santé? Seulement l'aspect physique (médecine moderne) ou également l'aspect émotif et énergétique (médecine traditionnelle chinoise ou autres approches dites *globales*)? N'y a-t-il pas là des mondes qui se complètent et qui, au bout du compte, ne font qu'Un? Pourquoi alors continuer à tant séparer les choses en n'utilisant qu'une approche rationnelle vis-à-vis des malaises et des symptômes? N'y a-t-il pas là une profonde ignorance que transporte notre système de santé, soit celle de ne pas considérer les différentes composantes de l'être humain?

Pourquoi alors continuer avec un modèle qui nous dirige vers un gouffre encore plus profond? Ne serait-il pas mieux d'assister à l'effondrement de certaines valeurs qui sous-tendent actuellement le système de santé, plutôt que d'assister à l'effondrement même du système?

Le choix, il est ici et maintenant, mais c'est à chacun et à l'ensemble de la collectivité de décider. Il est cependant possible qu'un compte à rebours ait déjà commencé, et ce avant qu'un point de non-retour ne soit atteint.

## 5.6 : LE COMITÉ D'AVANCEMENT POUR L'ACUPUNCTURE

Pour mieux faire connaître l'acupuncture[1], il serait souhaitable selon l'auteur que cette dernière soit mieux représentée, et qu'un comité soit même créé pour faire avancer certains dossiers, dont les deux suivants :

— que la formation en acupuncture devienne universitaire, et ne soit plus collégiale.

> *« À travers le monde, il n'y a à peu près qu'au Québec où l'enseignement de l'acupuncture est au niveau cégep ou collégial. Si l'on veut avoir des capacités et des fonds de recherche, ainsi que des outils qui nous permettent de mieux comprendre l'acupuncture, il faut vraiment amener la formation à un niveau universitaire, et ne pas rester au niveau du cégep. »*

Michel Jodoin, acupuncteur
Émission de télévision *Une pilule, une petite granule*, février 2013

---

1 L'acupuncture n'est qu'une branche de la médecine traditionnelle chinoise, qui repose surtout sur les plantes. Mieux faire connaître l'acupuncture vise aussi à mieux faire connaître l'ensemble de la médecine traditionnelle chinoise.

– que l'acupuncture se pratique dans les hôpitaux, au même titre que la médecine moderne.

Ce comité aurait pour but de faire avancer la cause de l'acupuncture et pourrait mener des campagnes d'information à ce sujet.

## 5.7 : LA RECHERCHE

L'avancement de l'acupuncture est synonyme de recherche afin que les scientifiques puissent reconnaître ses vertus. Dans ce domaine cependant, elle a un net désavantage : c'est qu'il lui est difficile de trouver les fonds nécessaires étant donné qu'aucune compagnie pharmaceutique n'est intéressée à la subventionner, faute de faire éventuellement des profits avec ces recherches.

Peut-être alors l'acupuncture doit-elle miser sur une autre recherche, soit celle que chacun peut faire dans son monde intérieur, de façon très objective. Peut-être que plus une population mettra l'accent sur sa santé énergétique, plus elle percevra les bienfaits de l'acupuncture, sans même que la science n'ait eu le temps de la décortiquer de façon rationnelle.

On peut donc se demander jusqu'où la science médicale pourra objectiver les phénomènes énergétiques et la théorie à la base de l'acupuncture, et ce étant donné la difficulté de les rationaliser ou de les mesurer avec l'appareillage actuellement disponible en médecine moderne.

Et si le problème, dans la reconnaissance scientifique de l'acupuncture, n'était pas tant cette dernière, mais plutôt la science elle-même qui ne se trouve pas suffisamment avancée sur le plan technologique? Et si l'acupuncture était porteuse d'une autre Science, que la science moderne ne peut actuellement expliquer étant donné sa vision trop étroite et son approche seulement rationnelle? Et si l'acupuncture portait en son sein bien des explications sur les causes profondes des malaises et maladies, auxquelles la médecine moderne, elle, n'a pas encore accès, car porteuse d'une trop grande ignorance?

Cela voudrait dire que l'acupuncture souffrirait actuellement du manque de Savoir de la médecine moderne et que sa non-émergence ne serait causée que par une incapacité à percevoir l'être humain dans sa globalité.

Et pourquoi faudrait-il que ce soit la science médicale qui décide où en est le statut de l'acupuncture, alors qu'elle-même est incapable de la comprendre et de l'expliquer? Tout comme le reste de la médecine traditionnelle chinoise, l'acupuncture raisonne différemment, non pas avec une logique rationnelle, mais avec une logique qui lui est propre, à partir des canaux énergétiques du corps humain (méridiens) et de la philosophie taoïste. Il y a là tout un monde que la science médicale ne peut mesurer, car cela fait d'abord appel à des sens et à des perceptions, qui peuvent être cependant de nature tout aussi objective que la pensée rationnelle.

## 5.8 : LES RESSOURCES ALTERNATIVES EN SANTÉ MENTALE

L'auteur désire ici mentionner les vertus possibles de techniques de méditation ou de respiration, tels le yoga, le Chi Kung ou le Tai Chi, en ce qui concerne les symptômes dépressifs ou l'anxiété excessive. Il y a là tout un potentiel de traitement des émotions ou du stress qui peut favoriser un processus de guérison sur le plan psychologique, et ainsi diminuer la consommation d'antidépresseurs ou d'anxiolytiques.

Ces approches venues d'Orient commencent maintenant à faire l'objet de recherches, et bien qu'il ne s'agisse que d'un début, des résultats tendent à en prouver scientifiquement les bienfaits, tant sur le plan physique que psychologique. À ce sujet, l'article *Easing Ills through Tai Chi, Researchers study the benefits of this mind-body exercise*[1], publié dans le *Harvard Magazine* en 2010, mentionne ce qui suit :

« *Des études, dont une menée par le* National Center for Complementary and Alternative Medicine, *ont montré qu'entre 2,3 et 3 millions de personnes pratiquent le Tai Chi aux États-Unis, où de nouvelles recherches scientifiques sont maintenant mises sur pied : le Centre a appuyé des études sur l'effet du Tai Chi sur les maladies cardiaques, la prévention des chutes, la santé des os, l'ostéoporose, l'arthrite du genou, l'arthrite rhumatoïde, l'insuffisance cardiaque chronique, les survivants d'un cancer, la dépression chez les personnes âgées et les symptômes de fibromyalgie. Une étude sur la réponse du système immunitaire au virus varicelle-zoster (qui cause le zona) suggérait en 2007 que le Tai Chi peut renforcer le système immunitaire et augmenter le bien-être global chez les adultes plus âgés. Cependant, en général, les études sur le Tai Chi étaient petites, ou elles démontraient des limitations fondamentales qui pouvaient limiter leurs conclusions.* »

Pour le yoga, un article intitulé *Yoga on our minds : a systematic review of yoga for neuropsychiatric disorders*[2] a été publié le 25 janvier 2013 dans la revue *Front Psychiatry*. Il mentionnait ce qui suit :

---

1  Traduction : *Soulager les maux par le Tai Chi, Des chercheurs étudient les bénéfices de cet exercice corps-esprit.* Site Web : http://harvardmagazine.com/2010/01/researchers-study-tai-chi-benefits

2  Traduction : Les effets du yoga sur la santé mentale : une revue systématique du yoga pour les problèmes neuropsychiatriques.
Site Web : http://www.frontiersin.org/Affective_Disorders_and_Psychosomatic_Research/10.3389/fpsyt.2012.00117/abstrac

« *La conclusion est qu'il y a des preuves naissantes provenant d'essais randomisés pour soutenir les croyances populaires des effets bénéfiques du yoga pour la dépression, les troubles du sommeil, et en tant que traitement en association. Des études sur les biomarqueurs et la neuro-imagerie, comparant le yoga aux traitements standards pharmaceutiques et à la psychothérapie, de même que des études sur l'efficacité à long terme, sont nécessaires pour conclure que le yoga peut définitivement améliorer la santé mentale.* »

Il y a bien sûr d'autres approches thérapeutiques qui peuvent aider à traiter les symptômes dépressifs ou l'anxiété excessive, telles l'acupuncture, l'ostéopathie, la massothérapie, la psychologie, l'hypnose et des approches psychocorporelles.

Ainsi, l'auteur recommande d'aller vers les approches mentionnées dans cette section, bien avant de prescrire des antidépresseurs ou des anxiolytiques, à la condition que l'individu ne soit pas en phase de survie aiguë, c'est-à-dire que les symptômes ne comportent pas d'idées suicidaires et que l'insomnie ne soit pas sévère.


## 5.9 : DES PROGRAMMES D'ÉDUCATION AUPRÈS DE LA POPULATION ET DES INTERVENANTS

Des programmes d'éducation auprès de la population et des différents intervenants du réseau de la santé pourraient être mis en place, visant principalement les trois objectifs suivants :

– l'élargissement de la signification des mots *symptôme*, *maladie*, *guérison* et *santé*
– une meilleure santé émotive et énergétique de la population
– une meilleure perception de la spécificité de la médecine moderne.

À eux seuls, ces trois objectifs ont le potentiel de diminuer le nombre de consultations médicales et ainsi de diminuer les frais d'exploitation du système de santé, en rendant davantage autonomes les individus vis-à-vis de leur propre santé. Il s'agit ici d'intégrer de plus en plus, au niveau individuel et collectif, les différentes composantes de l'être humain (physique, émotive, psychologique, énergétique et spirituelle), en ne négligeant pas l'expertise de la médecine moderne.

Selon l'auteur, c'est à partir de ces trois objectifs qu'il sera possible sur le plan collectif de mieux décortiquer les causes profondes des malaises et maladies, au-delà de la seule composante physique, et ce afin que chaque individu puisse mieux intervenir sur sa propre santé.

Ainsi, en ayant pour objectif une meilleure santé émotive et énergétique de la population, cela ne peut que se répercuter positivement sur la santé physique des individus. C'est dans ce sens qu'il semble maintenant venu le temps d'élargir la signification des mots *symptôme*, *maladie*, *guérison* et *santé*, pour que le système de santé ne repose plus sur une approche seulement rationnelle qui, lorsqu'utilisée en dehors de la spécificité de la médecine moderne, nuit à l'établissement d'un réseau qui vise d'abord la globalité de l'être humain. Cela ne peut qu'apporter une bouffée d'air frais au système de santé, qui étouffe actuellement sous la vision étroite d'une rationalité employée à outrance.

Les trois objectifs ci-haut mentionnés vont donc dans le sens d'un modèle de prévention élargi, c'est-à-dire allant au-delà de celui actuellement en place et qui vise principalement une prévention physique par une alimentation saine, l'exercice régulier, l'arrêt du tabagisme et la modération dans la consommation d'alcool. Il est de l'avis de l'auteur que la société québécoise y gagnerait en élargissant ce dernier modèle de prévention, en y incluant des notions sur la santé émotive et énergétique, ce qui ne peut, au bout du compte, qu'améliorer la santé physique des individus.

Il importe également d'adresser ces programmes d'éducation non pas seulement à la population en général, mais aussi aux différents intervenants du réseau de la santé, incluant les médecins, pour que ces derniers soient également porteurs d'un message visant la santé globale des individus.

## 5.10 : DE LA PÉRIPHÉRIE VERS LE CENTRE

Les approches telles que le yoga, le Tai Chi et l'acupuncture font partie des activités ou des soins qui s'avèrent généralement disponibles pour la population québécoise. Un des problèmes, cependant, est qu'elles se trouvent actuellement trop en périphérie et ne semblent pas suffisamment intégrées au réseau de la santé pour que l'on puisse réellement percevoir le bénéfice que pourrait en retirer la collectivité, tant du point de vue de la santé physique, émotive et énergétique des individus, que d'un point de vue économique.

Une société qui met au cœur même de son système de santé l'être humain dans sa globalité, met en son centre ces approches qui amènent habituellement l'individu vers un mieux-être, sans pour autant négliger l'apport de la médecine moderne dans les situations de survie. Cela est illustré au schéma 5.1 (voir page suivante).

En mettant au cœur du système de santé des approches tels le yoga et le Tai Chi, la priorité est alors mise sur la santé émotive et énergétique de la population, ce qui ne peut que favoriser une meilleure santé physique. C'est dans ce sens qu'il semble nécessaire d'implanter des programmes et même d'émettre des publicités qui visent autant les jeunes que les adultes et les personnes âgées, afin de les sensibiliser aux bienfaits de ces approches. Ces dernières amènent une meilleure prévention des symptômes et maladies, de par les répercussions positives qu'elles entraînent sur le corps et le psychisme. Pourquoi alors ne pas les mettre au cœur du système de santé? Il ne pourrait en résulter qu'une baisse dans l'apparition des différents malaises et, par conséquent, peut-être même dans le nombre de consultations médicales.

Pour redresser le système de santé québécois, il semble donc nécessaire de mettre au cœur de ce système non pas seulement une approche rationnelle, mais aussi d'autres approches qui considèrent les différentes composantes de l'être humain. Dans ce sens, il serait souhaitable que des mesures soient prises pour structurer des programmes afin que les intervenants impliqués soient soutenus par l'État et qu'ils puissent ainsi mieux desservir la population.

Il s'agirait donc de sortir ces approches de la périphérie et de les installer dans une position plus centrale. Cela signifie que ce qui est actuellement au centre, soit la médecine moderne, accepterait de jouer un rôle périphérique dans les situations où l'individu n'est plus en phase de survie (aiguë ou non aiguë). Ceci ne pourrait cependant pas se faire sans heurts car l'ego médical ne semble pas prêt actuellement à accepter de tels changements.

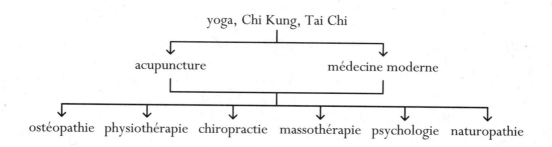

**Schéma 5.1 :** Un modèle où la globalité de l'être humain
est au coeur du système de santé

# 5.11 : DES PROGRAMMES POUR LES AÎNÉS

Les aînés transportent un bagage évolutif non négligeable pour le bien-être de la collectivité. Eux qui se rapprochent de la mort ont certes des choses à apprendre à ceux et celles qui se pensent encore loin du trépas de par leur âge moins avancé. Ils sont ainsi des modèles de courage car ils affrontent un mur, soit celui de leur propre mort au crépuscule de leur vie. En ce sens, ils ont beaucoup à transmettre, en termes d'enseignements, et nous en avons certes besoin pour ralentir le rythme d'un quotidien qui défile à vive allure. Leur sagesse peut donc permettre de mieux profiter du moment présent et de nous rappeler l'essentiel.

Les aînés sont ainsi une richesse pour une société, et non pas un fardeau, et ce même s'ils vivent bien souvent avec des handicaps physiques ou psychologiques. Malgré qu'il puisse en résulter des problèmes de mobilité ou des atteintes à certaines facultés cognitives, cela ne les empêche pas d'être encore bien vivants, peut-être même plus vivants intérieurement que bien des gens.

C'est d'ailleurs ce rapprochement avec la mort qui peut les rendre si vivants, et ce malgré un corps et un psychisme qui flanchent. Et c'est là, lorsque l'on prend le temps de les écouter, qu'ils peuvent nous enseigner de grandes choses. Malheureusement, parce qu'ils ne sont plus aussi performants qu'ils l'étaient, notre société tend à les mettre à l'écart. Ne serait-ce pas là le signe d'une dérive qui concerne l'ensemble de la collectivité, et non pas seulement notre système de santé? Alors qu'attendons-nous pour redonner espoir et vigueur aux aînés, afin qu'ils sachent eux-mêmes qu'ils sont porteurs de vie et d'une grande richesse!

Différents programmes spécifiquement pour les aînés pourraient ainsi être mis en place, entre autres des cours qui enseignent des techniques de méditation et de respiration (yoga, Chi Kung, Tai Chi...) et qui peuvent également favoriser la socialisation et une moins grande solitude.

# 5.12 : LE RAPPROCHEMENT ENTRE BLANCS ET COMMUNAUTÉS AUTOCHTONES

Tel que mentionné précédemment, l'élargissement de la signification des mots *symptôme*, *maladie*, *guérison* et *santé* amène à tenir davantage compte des différentes composantes de l'être humain (physique, émotive, psychologique, énergétique et spirituelle). Il semble donc exister un lien entre la santé physique et la santé spirituelle, que ce soit au niveau individuel ou collectif.

Cela laisse supposer que plus un individu prend soin de sa santé spirituelle, plus il est possible que cette dernière entraîne des répercussions positives sur sa santé physique. En ce sens, les communautés autochtones, avec le bagage d'enseignements qu'elles transportent, ont beaucoup de choses à apprendre à l'homme blanc, même s'il existe encore aujourd'hui des tensions palpables qui nuisent à leurs rapports.

Les connaissances médicales auraient donc avantage à intégrer un Savoir qui ne provient pas de la logique cérébrale, et ce afin qu'elles considèrent davantage l'être humain dans sa globalité, et non pas seulement son aspect physique. Cette ouverture demande cependant une dose d'humilité à l'homme blanc afin qu'il reconnaisse que, malgré les progrès scientifiques qui ont permis d'augmenter significativement l'espérance de vie, il arrive à un point où son approche seulement rationnelle, en dehors de la spécificité de la médecine moderne, devient irrespectueuse face au potentiel de Vie dont regorgent les individus. C'est donc là où il devrait faire appel à des notions de conscience que transportent les peuples amérindiens, afin de rendre son expertise beaucoup plus accessible et davantage au service de l'évolution de chacun.

## 5.13 : UN PLAN DE REDRESSEMENT DU SYSTÈME DE SANTÉ QUÉBÉCOIS

Plus loin dans cette section se trouvent les principales recommandations proposées par l'auteur pour que s'effectue un certain redressement du système de santé québécois. Il s'agit d'un résumé afin de mieux orchestrer d'éventuelles actions visant à améliorer l'efficacité et l'humanisation du réseau de soins.

Ce que l'auteur propose est davantage orienté vers l'aspect médical, et non vers les aspects financiers et administratifs du système de santé. Cependant, l'amélioration de l'un peut avoir des répercussions sur les deux autres. Par exemple, toute mesure visant la diminution de la consommation de médicaments, si elle est bien appliquée, entraînera inévitablement une diminution des coûts du régime d'assurance-médicaments. Autre exemple : la pratique de l'acupuncture dans les hôpitaux, au même titre que la médecine moderne, pourrait amener une diminution de la durée de séjour des patients, favorisant ainsi un certain désengorgement des urgences et l'amélioration du rendement des hôpitaux.

Bien qu'il existe actuellement un débat important dans le système de santé au Québec, soit celui de la place que doit occuper la médecine privée dans le réseau public, l'auteur a préféré ne pas aborder ce sujet dans les recommandations proposées, d'abord parce que le contenu de ce livre va au-delà de ce débat, qui en soi en est un de surface si aucun changement en profondeur n'est apporté. Il importe bien sûr de définir les orientations d'un système de santé en tentant de trouver la place que doit occuper le secteur privé dans le réseau public, mais n'est-il pas encore plus important de redéfinir des mots, tels *symptôme*, *maladie*, *guérison* et *santé*, qui ont le potentiel d'apporter une vision beaucoup plus large et des changements à ce qui se veut les bases mêmes sur lesquelles repose notre système de santé?

En effet, à quoi sert-il de mettre l'accent sur des décisions administratives et financières si les mots sur lesquels repose notre système de santé ne sont pas redéfinis? C'est d'ailleurs peut-être pour cette raison que, malgré les sommes importantes investies dans le réseau de la santé et les nombreuses tentatives des politiciens d'en améliorer le sort depuis une quinzaine d'années, les mêmes problèmes persistent et un enlisement encore plus profond est actuellement à craindre.

Réformer vraiment le système de santé québécois demande donc d'aller au-delà des décisions administratives et financières qui ont été prises au cours des dernières années et d'approfondir la signification des mots qui sont à la base même du système. Là se trouve une réforme qui va au cœur de la population et qui demande une implication de chacun, et non pas seulement des principaux acteurs du réseau de la santé.

Si l'ensemble de la collectivité arrive à mieux percevoir que derrière les symptômes et la maladie se cachent autres choses, plus particulièrement des émotions lourdes et des blocages dans la circulation énergétique du corps humain, c'est un modèle axé seulement sur le rationnel qui diminuera son influence, même si cela ne pourra faire plaisir aux compagnies pharmaceutiques et aux autorités médicales.

Ce serait là l'une des portes de sortie pour éviter l'enlisement vers un gouffre encore plus profond, et qui peut éventuellement faire économiser des sommes importantes à l'État. Il s'agit donc de réformer un système, non pas à partir du système lui-même, mais plutôt à partir de ceux et celles qui composent le système, et ce par une meilleure connaissance et une plus grande ouverture sur les causes profondes des symptômes, au-delà d'une simple composante physique, afin d'agir davantage en amont pour diminuer le nombre de consultations médicales. Plus un individu a la capacité de détecter ses déséquilibres internes, tant sur les plans émotif qu'énergétique, plus il peut agir rapidement sur lui-même pour désamorcer ce qui peut devenir un symptôme qui nécessite de consulter un médecin. De là, entre autres, l'intérêt d'élargir la définition de ce qu'est vraiment un individu en bonne santé en considérant sa globalité, sans pour autant négliger tout l'apport scientifique au bien-être de la population.

Les recommandations proposées se veulent ainsi axées sur la prévention, et non sur l'aspect curatif. Actuellement, étant donné que le système de santé a comme chef de file la médecine moderne, il est davantage orienté sur l'aspect curatif que sur la prévention.

Il intervient donc surtout à un stade où les symptômes physiques et psychologiques ont atteint une ampleur qui demande des interventions de la médecine moderne (médicaments, chirurgie et radiothérapie), et ce parce que des individus se trouvent en situation de survie parfois extrême et qu'ils n'ont pas été en mesure de détecter leurs propres déséquilibres internes.

En fait, il s'agit de développer un système de santé qui se sert de l'expertise de la médecine moderne, soit celle d'intervenir dans les situations urgentes (crise cardiaque, pneumonie, appendicite, fractures...), et qui met aussi l'accent sur la prévention. Cette dernière se résume actuellement à une saine alimentation, la pratique régulière d'activités physiques, l'arrêt du tabagisme et la modération dans la consommation d'alcool, ce qui est bien sûr à encourager, mais qui se veut très limitatif. La preuve est que ce modèle de prévention n'a pas réussi jusqu'à maintenant à jeter un baume sur les problèmes actuels du système de santé. Il semble donc s'avérer inefficace pour résoudre la surconsommation des médicaments, l'épuisement du personnel et l'engorgement dans les urgences.

Se pourrait-il même que ce modèle limitatif de prévention soit une des causes, sinon la cause, des principaux problèmes de notre système de santé? L'auteur pense que oui, et qu'il est ainsi dans l'intérêt de la collectivité d'élargir ce modèle pour diminuer le besoin de soins curatifs, et ce par une plus grande autonomie de chacun vis-à-vis de sa propre santé. Mais comment en arriver là? C'est en intégrant et en mettant l'accent sur la santé émotive et la santé énergétique de la population qu'il serait possible d'y parvenir.

Comme notre système de santé mise davantage sur le mode curatif que préventif, les décisions prises par les politiciens vont également dans le même sens. On tente ainsi d'apporter des changements à des structures ou d'en implanter de nouvelles (par exemple les GMF[1]), ce qui est tout à fait louable, mais elles n'ont toujours pas résolu les problèmes de base, dont la difficulté d'accès à un médecin de famille et le manque d'autonomie des individus vis-à-vis de leur propre santé.

Pour développer un système de santé où l'aspect préventif est davantage mis de l'avant, il est donc nécessaire que les politiciens aient une vision à long terme et non pas seulement à court terme. Malheureusement, le contexte budgétaire actuel du Québec n'est pas favorable à une telle vision car les dépenses investies dans le secteur de la santé et des services sociaux se veulent d'abord orientées vers des besoins de survie de la population en matière de santé.

Par conséquent, il sera très difficile de compter sur l'appui du gouvernement pour les mesures que l'auteur propose, du moins à court terme. Ce sera plutôt à la population

---

1 GMF = groupe de médecine de famille

elle-même de s'orienter vers un modèle qui prône l'aspect préventif de la maladie, et non pas seulement son aspect curatif, afin que, tôt ou tard, des décisions par les élus aillent dans le sens d'un système de santé qui tient davantage compte de la globalité de l'être humain.

Voici les principales recommandations proposées par l'auteur dans ce volume :

1. Mettre en place des soins intégrés dans le milieu hospitalier. Permettre ainsi à l'acupuncture d'exercer sa science dans un cadre tout à fait sécuritaire, et ce dans un mode de partenariat avec la médecine moderne.

2. Développer un programme universitaire en acupuncture et favoriser la recherche dans ce domaine.

3. Élargir le modèle actuel de prévention, c'est-à-dire intégrer à la santé physique des notions sur la santé émotive et la santé énergétique.

4. Élargir la signification des mots *symptôme*, *maladie*, *guérison* et *santé*, afin d'aller au-delà de l'aspect physique et de tenir compte de la globalité de l'être humain.

5. Mieux cerner, au niveau individuel et collectif, la spécificité de la médecine moderne.

6. Diminuer la consommation d'antidépresseurs et d'anxiolytiques. L'auteur recommande de prescrire ces médicaments seulement aux individus qui présentent des idées suicidaires ou homicidaires ou qui présentent une anxiété excessive (trouble panique ou insomnie sévère), en s'assurant d'un suivi médical adéquat si les symptômes s'aggravent.

7. Développer un réseau d'approches alternatives en santé mentale, tels le yoga, le Chi Kung et le Tai Chi. Il y a là tout un potentiel de traitement des émotions lourdes et du stress, ce qui peut atténuer les symptômes.

8. Apporter un changement de vocabulaire pour les individus avec des symptômes dépressifs. Au lieu de dire qu'ils sont en dépression, dire plutôt qu'ils sont dans une phase dépressive de leur existence. Ceci permet de mieux percevoir l'aspect temporaire de cette situation et surtout de mieux comprendre qu'il s'agit d'une période très évolutive que traversent ces individus.

9. Pour les aînés, mettre en place des programmes spécifiques qui enseignent des techniques de respiration et de méditation (yoga, Chi Kung, Tai Chi...), afin de favoriser entre autres la socialisation et une moins grande solitude.

10. Pour chaque individu, garder chez soi une copie de son dossier médical, sous forme papier ou électronique, afin d'augmenter l'autonomie de sa santé et de faciliter la transmission d'informations pertinentes à des médecins ou thérapeutes si nécessaire.

11. Cesser de prescrire les médicaments utilisés pour le traitement de la dysfonction érectile. L'auteur ne recommande nullement ces médicaments car ils entraînent une perte importante d'énergie vitale et ne font, au bout du compte, qu'accélérer le processus de vieillissement.

12. Effectuer des rapprochements entre blancs et communautés autochtones. Il serait plus que souhaitable que la science médicale, ainsi que la population en général, s'intéressent davantage aux enseignements provenant des Amérindiens. Nous avons certes beaucoup à apprendre d'eux.

* * * * *

L'auteur ne prétend pas qu'à elles seules, les recommandations précédentes régleront tous les problèmes du système de santé québécois, mais à tout le moins, elles ont le potentiel de jeter un certain baume sur la souffrance qui sévit actuellement dans le réseau de soins. D'abord par le fait qu'elles peuvent améliorer la santé générale des Québécois, que ce soit sur les plans physique, émotif ou énergétique, et aussi parce que si elles sont bien appliquées, il est possible que cela entraîne une baisse non négligeable des coûts. N'est-ce pas ce que le gouvernement recherche depuis plusieurs années?

Ces recommandations remettent également en question la façon de penser pour tenter de régler les différents malaises et problèmes du système de santé. Il ne s'agit donc plus d'aborder les choses que par le rationnel et de seulement éteindre des feux, mais bien de mettre en place des mesures qui visent à prévenir ces mêmes feux pour qu'il en découle éventuellement des répercussions positives, dont un mieux-être chez le personnel médical, une diminution de la consommation de médicaments et un désengorgement dans les urgences.

En fait, ces recommandations amènent une ouverture à ce que deux modes de pensée se réunissent, soit celui de l'Occident et de l'Orient. Elles veulent ainsi apporter un élan pour que s'installe un équilibre entre le rationnel et l'intuitif, c'est-à-dire entre les mondes visible et invisible, et ce sur le plan collectif. En termes plus scientifiques, on pourrait dire qu'il s'agit de l'équilibre entre les cerveaux gauche et droit, s'appliquant cependant à un ensemble d'individus afin qu'un soulagement puisse être apporté aux malaises du système de santé.

Cette ouverture, avant d'être collective, demande à se faire d'abord individuellement. C'est donc à chacun de s'ouvrir à ses composantes émotive et énergétique, et ainsi à sa propre globalité, pour qu'éventuellement une masse suffisante d'individus puissent devenir le vecteur d'un système de santé qui tient davantage compte des différentes composantes de l'être humain.

De façon très objective, l'auteur insiste sur le fait que si cette ouverture ne se manifeste pas d'ici un certain temps au niveau collectif, il est possible qu'un point de non-retour soit éventuellement atteint, et que si cela arrive, la bascule vers un gouffre encore plus profond et beaucoup plus problématique sera alors inévitable.

Il semble donc nécessaire que s'effectuent des ponts entre l'Occident et l'Orient pour soulager les lourdeurs actuelles du système de santé, sans quoi le rationnel employé à outrance ne fera qu'accentuer une souffrance déjà existante, et ainsi entraîner une dérive encore plus grande qui risque même de faire chavirer le navire.

# CONCLUSION

La dérive du système de santé québécois est de plusieurs ordres. Elle est d'abord financière, car tel que déjà cité dans ce volume, le budget de la santé et des services sociaux pour l'année 2012-2013 s'élève à 31,1 milliards de $, comparativement à 17,8 milliards de $ en 2002-2003, ce qui représente une augmentation de 75 % en dix ans. Les dépenses en santé ont ainsi atteint 47,5 % des dépenses des programmes gouvernementaux.

Malgré cette injection massive de fonds publics, cela ne s'est pas soldé par une meilleure qualité de soins ni par une plus grande accessibilité, car encore aujourd'hui, environ deux millions de Québécois demeurent sans médecin de famille. Force est d'admettre qu'il ne semble plus envisageable d'augmenter la part du budget consacré à la santé, car cela ne pourrait se faire qu'au détriment des autres ministères. Ainsi, à défaut que le gouvernement puisse investir plus d'argent, entre autres parce que le remboursement de la dette publique occupe 12 % de ses dépenses annuelles, il semble donc nécessaire de trouver de nouvelles façons de faire et même d'établir de nouvelles bases pour tenter de diminuer les frais d'exploitation du système, sans que la population n'en soit affectée au niveau de la qualité des soins. Mais comment s'y prendre? Et par où commencer?

Il s'agit bien sûr d'un réel casse-tête, car le système de santé est d'une grande complexité avec tous ses intervenants, ses structures administratives et sa population à desservir. Mais dans quelle direction doit donc aller l'ensemble des décisions pour améliorer l'état du système de santé? Selon l'auteur, il semble plus que souhaitable d'aller vers des solutions qui visent une plus grande autonomie des individus vis-à-vis de leur propre santé, entre autres pour pallier le manque d'effectifs médicaux.

Dans ce sens, il s'agirait de prendre des mesures vers des modèles de santé et de prévention qui permettent d'intégrer, autant pour la population que pour les intervenants, la réelle signification des mots *symptôme*, *maladie*, *guérison* et *santé*. Il en va de l'avenir même du réseau actuel de la santé d'élargir ces notions de base pour qu'une meilleure compréhension s'installe sur les causes profondes des maladies, et ce afin que chacun accède à plus grande autonomie face à ses propres malaises physiques ou psychologiques.

Il faudrait donc se diriger, selon l'auteur, vers un modèle qui met l'individu au cœur même du système de santé, et qui ne considère pas seulement son aspect physique, mais aussi ses autres composantes (émotive, psychologique, énergétique et spirituelle). Cela signifie que les réelles solutions passeraient par une vision qui permet d'implanter un réseau qui tienne vraiment compte de la globalité de l'être humain, sans pour autant négliger la spécificité et l'expertise de la médecine moderne.

Le défi du Québec, en matière de système de santé, il est sans doute là, soit de passer d'un modèle extérieur à un modèle intérieur, c'est-à-dire de développer un modèle qui prône non seulement une santé physique, mais aussi une santé émotive et énergétique.

C'est ainsi qu'individuellement et collectivement, l'intégration d'enseignements qui proviennent d'Orient et des peuples amérindiens pourrait avoir d'importantes répercussions, allant même jusqu'à réduire les frais d'exploitation du système de santé. Ce serait donc, entre autres, par une meilleure connaissance des causes profondes qui amènent des problèmes physiques et psychologiques qu'il serait possible de diminuer la dérive actuelle du système de santé.

En ce sens, l'implantation de la médecine traditionnelle chinoise dans les hôpitaux, plus particulièrement l'acupuncture, à titre de pilier de soins au même titre que la médecine moderne, pourrait apporter une bouffée d'air frais au système de santé, qui étouffe actuellement dans sa rationalité à outrance.

De plus, il ne faudrait pas oublier que la pression sur les milieux hospitaliers et les différents intervenants du réseau de la santé ne fera qu'augmenter au cours des prochaines années étant donné la population vieillissante.

« *Le vieillissement accéléré de la population québécoise va en effet provoquer une augmentation prononcée du nombre des personnes âgées : pas moins de 30 000 personnes par année pendant les 15 prochaines années. Les gens de 75 ans et plus vont représenter une part grandissante de la population. Comme la consommation de soins est la plus élevée dans ce groupe d'âge, il faut anticiper, dans les prochaines années, une pression accrue sur la demande. Le Ministère estime notamment que le nombre de personnes nécessitant des soins à domicile passera de 158 000 à 258 000 d'ici 5 ans.* »

Claude Castonguay, *Santé : l'heure des choix*, 2012

Considérant le niveau de dérive financière et idéologique actuellement atteint, ainsi que l'état d'épuisement du personnel médical, le système de santé québécois se dirige vers un gouffre certain si aucun changement significatif n'est apporté. Garder le statu quo équivaut donc à signer un pacte avec un enlisement qui ne peut qu'empirer. Il ne faudrait pas s'imaginer qu'il est possible d'attendre encore plusieurs années avant de renverser la vapeur, car l'heure est critique. Plus des décisions sont retardées, plus il deviendra difficile de redresser le navire. Ne serait-il pas préférable de prendre les décisions qui s'imposent pendant qu'il en est encore temps?

# ÉPILOGUE

Ce qui est exposé dans ce livre concerne d'abord le système de santé québécois, mais en fait, la majeure partie de ses propos s'adresse autant aux systèmes de santé canadien, américain et européen – que l'on pense entre autres aux malaises et problèmes de la médecine moderne ainsi qu'à la surconsommation de médicaments.

Cela signifie que la dérive du système de santé québécois se veut aussi celle des systèmes de santé canadien, américain et européen, car pour chacun de ces territoires, une approche seulement rationnelle est au centre du réseau de la santé et ne tient pas compte de la globalité de l'être humain, soit de ses composantes physique, émotive, psychologique, énergétique et spirituelle.

Ce qui a été exposé dans ce livre ne concerne donc pas seulement le système de santé québécois, mais bien l'ensemble des systèmes de santé implantés en Occident, qui se trouvent ainsi en manque du Savoir de l'Orient afin que des soins optimaux soient offerts à la population.

Si les systèmes de santé en Occident dérivent, c'est aussi parce que les sociétés occidentales traînent une forme d'ignorance qui fait en sorte que le rationnel est employé à outrance, et ce parce que la masse des individus qui y habite a tendance à oublier que l'être humain est d'abord une conscience et qu'il ne se résume pas seulement à son aspect physique.

Ce n'est donc pas seulement le Québec qui est en cause dans ce livre, mais tout l'Occident dans ses valeurs et croyances actuelles.

# BIBLIOGRAPHIE

+ Arcand, Paul. Film *Québec sur ordonnance*, 2007.

+ Balasubrmaniam, Meera, et al. « Yoga on our minds : a systematic review of yoga for neuropsychiatric disorders » , revue *Front. Psychiatry*, 25 janvier 2013.

+ Bernard, Marie-Christine et Kristelle Audet. *Un budget prudent dans un contexte économique mondial très agité*, site Web www.conferenceboard.ca, 21 novembre 2012.

+ Bourre, Dr Benoit. « L'acupuncture est efficace dans la gonarthrose : revue méthodique de la littérature », revue *Acupuncture & Moxibustion*, juillet-août-septembre 2011, vol. 10, no 3.

+ Boutouyrie, Dr Pierre, et al. « Action aiguë et chronique de l'acupuncture sur l'hémodynamique de l'artère radiale chez le patient migraineux », revue *Acupuncture & Moxibustion*, avril-mai-juin 2010, vol. 9, no 2.

+ Brahimi, Dr Ahmed Hamid. « Obésités graves et acupuncture », revue *Acupuncture & Moxibustion*, avril-mai-juin 2011, vol. 10, no 2.

+ Brown, Nell Porter. « Easing Ills through Tai Chi, Researchers study the benefits of this mind-body exercise », *Harvard Magazine*, janvier-février 2010.

+ Bui, Dre Anita. « Acupuncture et céphalées en urgence hospitalière. Une étude rétrospective (hôpital Lariboisière) », revue *Acupuncture & Moxibustion*, octobre-novembre-décembre 2007, vol. 6, no 4.

+ Caron, Régys. « Un budget plombé par la dette », *Journal de Montréal*, 7 décembre 2012.

+ Castonguay, Claude. *Santé : l'heure des choix*, Les Éditions du Boréal, 2012.

+ Chia, Mantak. *Les secrets taoïstes de l'amour, culture de l'énergie sexuelle masculine*, Éditions Axis Mundi, 1991.

+ Chia, Mantak et Maneewan. *Éveillez l'énergie curative du Tao*, Guy Trédaniel Éditeur, 1994.

+ Émission de télévision *Une heure sur terre*, Radio-Canada, 5 octobre 2012.

+ Émission de télévision *Une pilule, une petite granule*, Télé-Québec, publiée sur le Web, http://video.telequebec.tv/video/14374/acupuncture, 14 février 2013.

✦ Even, Philippe et Bernard Debré. *Guide des 4000 médicaments utiles, inutiles ou dangereux*, Éditions Cherche midi, 2012.

✦ Fournier, Jay C., et al. « Antidepressant Drug Effects and Depression Severity », *JAMA*, 6 janvier 2010.

✦ Gilbert, Jean-Marc. *Pénurie de médecins omnipraticiens sans précédent*, site Web www.24hmontreal.canoe.ca, 14 février 2013.

✦ Goret, Dr Olivier. « Acupuncture dans le traitement du syndrome de Ménière : revue de la littérature », revue *Acupuncture & Moxibustion*, avril-mai-juin 2010, vol. 9, no 2.

✦ Goret, Dr Olivier et Dr Johan Nguyen. « Acupuncture en gynéco-obstétrique : état des revues systématiques et méta-analyses », revue *Acupuncture & Moxibustion*, juillet-août-septembre 2010, vol. 9, no 3.

✦ Goret, Dr Olivier et Dr Johan Nguyen. « Méta-analyse : l'acupuncture est supérieure à l'acupuncture factice dans le traitement de la douleur post-opératoire », revue *Acupuncture & Moxibustion*, octobre-novembre-décembre 2011, vol. 10, no 4.

✦ Hawawini, Dr Robert. « La lombalgie aiguë en acupuncture », revue *Acupuncture & Moxibustion*, octobre-novembre-décembre 2011, vol.10, no 4.

✦ Institut canadien d'information sur la santé, Statistique Canada. *Enquête sur le travail et la santé mentale et physique des infirmières (Canada)*, 12 décembre 2006.

✦ Jeannin, Dr Philippe. « Traitement par Acupuncture du syndrome mains-pieds chez les patients sous chimiothérapie », revue *Acupuncture & Moxibustion*, avril-mai-juin 2010, vol. 9, no 2.

✦ Johansson K., Lindgren I., Widner H., Wiklund I., Johansson B. « Can sensory stimulation improve the functional outcome in stroke patients », revue *Neurology*, 12/1993; 43(11): 2189-92.

✦ Kirsch, Irving, et al. *Initial Severity and Antidepressant Benefits : A Meta-Analysis of Data Submitted to the Food and Drug Administration*, Plos Clinical Trials, 26 février 2008.

✦ « La médecine chinoise dans les hôpitaux », *Carnet de santé, Quand la médecine chinoise s'invite à l'hôpital*, site Web http://youtu.be/W8d2hGmmBmM

✦ Langevin, Hélène. « Evidence of connective tissue involvement in acupuncture », *FASEB Journal*, 2002.

✦ Lemay, Éric Yvan. « Antidépresseurs, nouveau record au Québec, 13 millions d'ordonnances », *Journal de Montréal*, 7 février 2011.

✦ Martel, Kassandra. *Journal de Montréal*, page couverture : « Dur temps des Fêtes aux urgences, jusqu'à 48 heures d'attente », 31 décembre 2012.

✦ « Méta-analyse : l'acupuncture apparaît efficace dans les insomnies », revue *Acupuncture & Moxibustion*, avril-mai-juin 2010, vol. 9, no 2.

✦ Méthot, Denis. « Rencontre avec l'oncologue Christian Boukaram, L'importance des émotions et de l'environnement intérieur dans le cancer », revue *L'Actualité médicale*, 23 novembre 2011, vol. 32, no 19.

✦ Monzée, Joël. « Quelques pistes d'intervention pour atténuer l'humeur dépressive », revue *L'Actualité médicale*, 19 décembre 2012, vol. 33, no 22.

✦ Munger, Michel. « Une maladie dispendieuse », *Journal de Montréal*, 4 août 2011.

✦ Papin, Fabienne. « La bulle médicale : chronique d'une mort annoncée, entrevue avec le Dr Dominique Dupagne », revue *L'Actualité médicale*, 25 avril 2012, vol. 33, no 8.

✦ Papin, Fabienne. « Se préoccuper de la santé mentale des médecins, une question désormais internationale », revue *L'Actualité médicale*, 19 décembre 2012, vol. 33, no 22.

✦ « Revue systématique : l'acupuncture apparaît efficace dans les lombalgies et douleurs pelviennes de la grossesse », revue *Acupuncture & Moxibustion*, avril-mai-juin 2010, vol. 9, no 2.

✦ Site Web www.acupunctureresearch.org (The Society for Acupuncture Research).

✦ Site Web www.cmq.org (Collège des médecins du Québec).

✦ Site Web www.mcim.ca (Centre de Médecine Intégrative de Montréal).

✦ Site Web www.meridiens.org/acuMoxi (*Acupuncture & Moxibustion*, revue française de médecine traditionnelle chinoise).

✦ Site Web www.ramq.gouv.qc.ca. *Brochure no 1, Ententes particulières*.

✦ Stéphan, Dr Jean-Marc. « Hypertension artérielle et acupuncture : à propos d'une observation », revue *Acupuncture & Moxibustion*, juillet-août-septembre 2010, vol. 9, no 3.

✦ Stéphan, Dr Jean-Marc. « L'acupuncture autour de la naissance : analgésie durant l'accouchement », revue *Acupuncture & Moxibustion*, janvier-février-mars 2010, vol. 9, no 1.

✦ Turner, Erick H., et al. « Selective Publication of Antidepressant Trials and Its Influence on Apparent Efficacy », *New England Journal of Medicine*, 17 janvier 2008.

✦ World Health Organization. « Diseases and disorders that can be treated with acupuncture », http://apps.who.int/medicinedocs/fr/d/Js4926e/5.html, 2003.